De Súdwester

Christelijke school voor speciaal basisonder...

Kaatsland 1
8608 CX Sneek

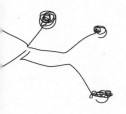

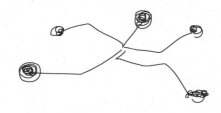

Dennis is een dief

Sprinter staat garant voor goed leesbare boeken, voor kinderen vanaf 9 jaar. De ene keer ligt het accent op emoties, de andere keer meer op een lekker spannend verhaal. Het technisch leesniveau ligt op AVI 7, 8 of 9. Bij de boeken is ook begeleidend materiaal ontwikkeld: *Finish*. Met de *Finish*-bladen kunnen kinderen het verhaal creatief verwerken en hun woordenschat vergroten, en houdt de leerkracht zicht op de leeservaringen van de kinderen.

STICHTING NEDERLANDSE
KINDERJURY
2000

© 1999 Educatieve uitgeverij Maretak, Postbus 110, 8250 AC Dronten

Illustraties: Julius Ros
Omslagontwerp: Robert Vulkers
ISBN 90 437 0027 4
NUGI 221
AVI 8/Brus 50-60

Dennis is een dief

Marieke Roggeveen
illustraties Julius Ros

educatieve

uitgeverij

Maretak

1 Bubbel weet raad

'Vanmiddag uit school ga ik naar Jeroen, huiswerk maken. Om zes uur ben ik thuis. Doei.'
En weg is Dennis. De deur valt met een harde klap dicht. Moeder lijkt het nauwelijks te horen. Zonder van de krant op te kijken, steekt ze even haar hand op.
'Doei', groet ze verstrooid terug en neemt daarna weer een slok thee.
Haast jaloers kijkt Marileen naar de dichte deur. Wat fijn om zo naar school te kunnen gaan. Gewoon zeggen dat je om zes uur thuiskomt, omdat je eerst bij iemand huiswerk gaat maken.
Voor Dennis is dat gewoon. Maar voor haar is het juist gewoon om direct na schooltijd naar huis te gaan. Simpel, omdat niemand haar vraagt.
En zelf iemand mee naar huis vragen, durft Marileen nog niet. Toch doet Karin altijd aardig tegen haar. Ze zou natuurlijk Karin een keer mee kunnen vragen.
Maar stel je voor dat andere kinderen dan hard beginnen te lachen? Op haar oude school gebeurde dat vaak.
Zuchtend steekt Marileen het laatste stukje brood in haar mond. Ze moet niet zo zeuren. Ze ís toch nog niet geplaagd op de nieuwe school?

Ze wonen hier nu precies een maand. Iedereen vond het leuk om te gaan verhuizen: vader, moeder en zelfs Dennis. Terwijl hij toch een heleboel vrienden had op het Centrum College. Tenminste, daar vertelde hij vaak over. Over hoe ze een leuke grap uitgehaald hadden in de klas, over de wandelingen in de pauze, over de baantjes die sommige jongens hadden...

Zelf wil Dennis graag een krantenwijk. Gisteren zeurde hij daar nog over. Maar papa en mama willen niet dat hij 's morgens voor schooltijd kranten gaat rondbrengen.

Marileen weet nu al bijna zeker dat hij binnenkort een krantenwijk mag nemen. Gewoon, omdat Dennis altijd krijgt wat hij hebben wil!

'Moet jij nog niet naar school?' vraagt moeder.

Verschrikt kijkt Marileen op de klok: oei, nog maar tien minuten. 'Ja, ik ga al.'

Ze drinkt haastig haar thee op, veegt haar mond af en loopt naar de gang.

'Hé, hé, hé', roept moeder haar na, 'neem eens even wat mee naar de keuken. Over een uur moet ik op mijn werk zijn, ik zal me toch al moeten haasten.'

Ik heb ook haast, wil Marileen zeggen. En Dennis heeft ook niets naar de keuken gebracht, denkt ze er opstandig achteraan. Maar ze zegt niets.

Ze pakt twee bordjes en een pak hagelslag van de tafel en brengt het naar de keuken.

Even later rukt ze haar jas van de kapstok. Ze moet opschieten, anders komt ze te laat.

's Middags uit school loopt Marileen regelrecht naar haar kamer. Moeder is nog niet thuis en Dennis is er ook nog niet. Daar is ze blij om. Marileen vindt haar broer het laatste halfjaar erg veranderd. Toen ze allebei nog op de basisschool zaten, was hij heel anders.

Nu plaagt hij haar vaak en lacht haar uit om haar sproeten. En soms zegt hij dat ze dikke benen heeft.

Marileen kijkt eens rond. Op haar bed zitten wel tien knuffeldieren en naast de kast zit Bubbel, haar lievelingsdier. In het oude huis zat Bubbel vlak naast haar bed. Dat was gezelliger.

Alles was er veel gezelliger. Haar bed stond onder het schuine dak en ook nog een stukje naast het raam van de dakkapel. Als ze 's morgens wakker werd, zag ze altijd eerst de poster die ze een keer in een sportzaak gekregen had. Die hing tegen het schuine dak, dat was heel handig. Achter de poster waren namelijk haar praatbriefjes verstopt. Briefjes, waarop ze precies heeft geschreven wat ze allemaal wil zeggen en tegen wie.

Op praatbriefjes durft ze álles te zeggen. De briefjes leest ze telkens over. Zo oefent ze om over een poosje ook echt te zeggen wat ze wil. Ze oefent nu al een paar maanden. Sommige zinnen kent ze uit haar hoofd, zo vaak heeft ze de briefjes al nagelezen.

In het vorige huis las ze de belangrijkste briefjes zelfs nog een paar keer 's avonds op bed. Als ze het gordijn een klein stukje opzijschoof, scheen er precies genoeg licht binnen om te kunnen lezen. Eén keer was ze heel erg geschrokken. Toen stond Dennis opeens in haar kamer. 'Stiekem lezen, hè?' had hij gelachen, 'heb ik jou even mooi betrapt.'

'Ik zit helemaal niet te lezen, grote bemoeial', had Marileen met bonkend hart gezegd, 'ik doe alleen het gordijn goed dicht.'

'Ja, ja.'

Meer had Dennis niet gezegd, hij was haar kamer weer uitgegaan. Die avond had Marileen niet meer gelezen, de volgende avond ook niet. Ze was veel te bang geweest dat Dennis haar nog een keer zou betrappen.

Marileen kijkt naar de nieuwe lamp, die ze zo mooi vond toen ze hem samen met mama en Dennis kocht.

Opeens vindt ze het een stomme lamp. En ook een stomme kamer. Alles is hier stom, denkt ze kwaad, de kamer, het huis, Dennis... alles!

Ze loopt naar de hoek van de kamer en gaat naast Bubbel zitten. 'Alleen jij bent niet stom', fluistert ze tegen de bruine beer. 'Jij bent juist lief. Omdat jij me nooit uitlacht.'

Nog heel even blijft ze zitten; dan gaat ze weer staan. Ze schaamt zich opeens. Stel je voor dat Dennis haar kamer binnenkomt en ziet dat ze tegen Bubbel zit te praten.
Ik zet Bubbel vlak naast mijn bed, besluit Marileen.
Aarzelend pakt ze de bruine beer. Ze twijfelt. Mama zal het toch wel goedvinden?

Bij het uitpakken na de verhuizing was Bubbel heel nadrukkelijk naast de kast gezet. 'Deze hoek lijkt mij heel geschikt voor je beer', had moeder gezegd. 'Ja hoor, veel beter dan naast je bed. Een knuffelbeer naast je bed is zo kinderachtig nu je al tien bent. Zullen we je andere knuffels in de doos laten zitten en op zolder zetten?'
'Nee!' had Marileen uitgeroepen, 'nee!'
Moeder had haar verbaasd aangekeken en haar schouders opge-haald. 'Dan niet. Als je maar weet dat Dennis al op zijn zesde geen knuffeldieren meer op zijn kamer had.'

Maar ik bén Dennis niet, had Marileen boos gedacht, ik ben Mariléén!

Zuchtend zet Marileen Bubbel naast haar bed. Wat is het soms toch moeilijk om te doen wat je wilt! Ze probeert zich te herinneren wat ze heeft opgeschreven, toen eindelijk haar kamer was ingericht. Ze weet het niet meer, ze schrijft ook zoveel op.
Het wordt tijd dat de briefjes een veilige plek krijgen. Het liefst weer vlakbij haar bed, waar niemand ze kan vinden.
Marileen gaat op bed liggen en slaat een arm om Bubbel heen. Nu voelt ze zich niet meer alleen. 'Jij weet zeker ook geen nieuw verstopplekje vlakbij mijn bed?' vraagt ze zachtjes.
Ze weet dat Bubbel niet kan praten, maar vaak geeft hij toch antwoord. Net als nu.
Terwijl Marileen haar kamer rondkijkt, weet ze opeens het antwoord.
'Jij slimme beer', zegt ze, terwijl ze naar de kast loopt.
Even later komt ze terug met een platte doos. 'Hier ga ik binnenkort een stoeltje van maken', zegt ze tegen Bubbel. 'En ik maak er ook een geheim vakje in. Voor mijn briefjes. Nou, hoe lijkt jou dat?'

Bah: bloemkool. En nog een keer bah: papa is nog niet thuis.
'Ben je daar eindelijk?' zegt moeder. 'Ik heb wel een paar keer geroepen onder aan de trap.'
'Ja joh', zegt Dennis, 'ik kwam tenminste meteen naar beneden.'
'Ik heb het maar één keer gehoord', mompelt Marileen als ze gaat zitten.
Hoofdschuddend schept moeder aardappels op. 'Je zat zeker weer te dromen. Het is geen wonder dat je slechte cijfers haalt. Als je op deze school net zo dromerig bent in de klas als vorig jaar bij meester Verberg...'
'Dan blijf je voor de rest van je leven in groep zeven zitten', lacht

Dennis. 'Of misschien moet je wel terug naar groep zes, en daarna naar groep vijf... Ha, ha. Straks moet je nog terug naar de peuterspeelzaal. En...'

'Zo is het wel genoeg, Dennis', zegt moeder.

Marileen kijkt op. De stem van moeder klinkt streng, maar ze kijkt anders. Ze kijkt of ze bijna moet lachen.

Met een rood hoofd begint Marileen te eten. Ze voelt zich boos en verdrietig tegelijk. Ze weet heus wel dat ze slechte cijfers haalt, maar ze weet ook dat ze haar best doet op school. Kon ze maar net zo goed leren als Dennis, dan zouden haar ouders ook trots op haar zijn.

Ze kijkt even opzij. Gelukkig, moeder lacht weer gewoon. Om Dennis natuurlijk. Nu zitten ze samen te lachen, moeder en Dennis.

Marileen doet net of ze het niet merkt, dat vindt ze het gemakkelijkst. Als ze niets zegt, kan ze ook niet uitgelachen worden.

2 De ontdekking

'Zo, en hoe was het op school?' vraagt vader 's avonds na het eten.
'Goed', antwoorden Dennis en Marileen tegelijk.
Vader schiet in de lach. 'Ik bedoel eigenlijk Dennis. Jij had toch een wiskundeproefwerk vandaag? Hoe is dat gegaan?'
'Goed', antwoordt Dennis voor de tweede keer. 'Ik vond het hart-stikke makkelijk, terwijl alle anderen het juist moeilijk vonden.'
'Net als ik vroeger', zegt vader, 'ik was ook altijd goed in wiskun-de.'
Dennis haalt zijn schouders op. 'Wiskunde is niks aan. Maar als u het niet erg vindt, ga ik nu naar buiten. Ik heb om halfacht met de andere jongens afgesproken en ik wil liever niet te laat komen.'
'Goede gewoonte', zegt vader goedkeurend, 'en over goede ge-woontes gesproken: ik ga ook nog even aan de slag.'
Vader draait zich om naar Marileen. 'En jij?' vraagt hij. 'Heb jij iets te doen vanavond?'
'Ik denk dat ik ook naar buiten ga', antwoordt Marileen, 'anders ben ik helemaal alleen thuis. Want mama moet vanavond zeker weer naar een vergadering?'
Allebei tegelijk kijken ze nu naar de tafel, waar moeder ingespan-nen in allerlei papieren zit te lezen.
'Ja, ze zal zo wel weggaan', antwoordt vader. 'Maar hoe bedoel je: anders ben ik helemaal alleen thuis. Ik ben er toch?'
Marileen moet lachen om het zielige gezicht dat vader nu trekt.
'Jawel, maar u gaat toch werken boven?'
Vader doet net of hij schrikt. 'O ja, je hebt gelijk. Laat ik dat maar snel gaan doen. Dan ben ik straks weer beneden als mijn grote dochter thuiskomt. Tot zo.'
'Tot zo', groet Marileen lachend terug.

Marileen kijkt in de televisiegids. Misschien komt er nog iets leuks op televisie vanavond.

'Zo, ik geloof dat ik alles heb', zegt moeder als ze van haar stoel opstaat. Verbaasd kijkt ze rond. 'Waar is iedereen?'

Marileen haalt haar schouders op. 'Ik denk boven en buiten.'

Moeder lijkt het nauwelijks te horen, omdat ze opeens van alles ziet. 'Moet je toch weer eens kijken wat een rommel in de kamer', moppert ze. 'De stoelen schots en scheef, overal kranten... Ach Marileen, wil jij de kranten straks in de krantenbak doen? Dan ruim ik morgen zelf de rest wel op. Al dat vergaderen ook. Je snapt soms niet waar het voor nodig is. Ik denk er sterk over om na de zomervakantie te bedanken als bestuurslid. Ik heb het eigenlijk veel te druk. Maar nu ga ik echt weg, ik ben al laat.'

Zonder op antwoord te wachten, loopt moeder naar de gang.

Bij de deur draait ze zich nog even om. 'Alvast bedankt voor het helpen, enne: niet te laat naar bed, hè.' Het volgende moment is de deur dicht.

Even later loopt Marileen naar het speeltuintje. Ze hoopt dat Anne er is, haar buurmeisje van acht. De andere kinderen kent Marileen nog niet zo goed. Al van verre hoort ze dat het druk is bij de speeltuin. Jammer, Anne is er niet.

Dan ziet ze Dennis, samen met Jeroen en Ralph.

Ze steken het grasveld over en gaan een steegje in. Zeker om nog meer jongens op te halen. Uit verveling loopt Marileen achter hen aan.

'Ik ga kijken of er schuren open zijn en jullie geven een seintje als er iemand aankomt. Begrepen?'

Verbaasd blijft Marileen staan. Dat is toch de stem van Dennis? Waarom wil hij kijken of er schuren open zijn? En waarom moet dit stiekem?

Marileen aarzelt. Als Dennis merkt dat ze hem achterna loopt, is hij vast kwaad.

Heel even blijft ze nog staan; daarna draait ze zich om.

Ze gaat naar huis. Anne is er niet en bij Dennis loopt ze toch alleen maar in de weg.

'Bingo', hoort ze op hetzelfde moment haar broer zeggen, 'hier, pak aan. Een boormachine en een zo goed als nieuwe schroeven-draaierset. En nu wegwezen.'

Als aan de grond genageld blijft Marileen staan. Dennis steelt. Als hij merkt dat ze alles gehoord heeft, dan, dan...

Gelukkig lopen de jongens naar de andere kant van de steeg. Pas als ze helemaal niets meer hoort, durft Marileen zich weer te verroeren. Ze gaat naar huis. Aan Anne denkt ze allang niet meer. Ze denkt helemaal nergens meer aan!

3 De afwas

'Verwacht je soms iemand?' vraagt moeder de volgende middag
aan Marileen. 'Je zit telkens zo gespannen naar de deur te kijken.
Het is dat ik beter weet, anders zou ik nog denken dat je op je
broer zit te wachten.'
Marileen voelt dat ze een kleur krijgt. 'Nee hoor', zegt ze, 'ik
verwacht niemand, maar...'
De gedachten van Marileen gaan nu razendsnel. Ze zit wél op
Dennis te wachten, maar anders dan moeder denkt. Ze moet iets
verzinnen!
'Eh, ik dacht dat ik iets hoorde, bij de deur. Daarom keek ik.'
Moeder knikt begrijpend. 'O, dat is vast de kat van hiernaast. Als
de buren niet thuis zijn, probeert dat beest altijd bij iemand
anders binnen te komen. Als je weer iets hoort, moet je het maar
zeggen. Dan jaag ik 'm wel weg.'
'Ach nee, dat vind ik zielig', zegt Marileen verontwaardigd, 'niet de
poes wegjagen.'
Moeder schiet in de lach. 'Als je niets zegt, jaag ik ook niets weg.'
'Gelukkig.'
Nu pas beseft Marileen dat de poes van de buren waarschijnlijk
heel rustig ergens ligt te slapen. Wat een mop zou het anders zijn:
moeder verjaagt een onzichtbare poes!
'Nee hoor', zegt moeder na een korte stilte, 'ik heb de kat van
hiernaast nog nooit iets gedaan en ik zal 'm niets doen ook. Maar
ik heb liever niet dat hij bij ons de deur kaal krabt. Als hij dat toch
doet, wil ik 'm graag duidelijk maken dat ik daar niet van gediend
ben. Snap je?'
Marileen doet haar best om niet te lachen. 'Ja, ik snap het. Ik zal
goed op blijven letten.'

Tevreden slaat moeder weer een bladzijde van haar boek om. Ook Marileen gaat verder met lezen.

Minder opvallend dan daarnet kijkt ze even later weer naar de deur. Ze is benieuwd of Dennis nog anders doet na gisteren. Vanochtend moest hij al vroeg naar school. Toen heeft ze hem niet gezien. En gisteravond lag ze al op bed toen hij thuiskwam. Maar misschien is Dennis vandaag wel opgepakt door de politie. Iemand kan hem gisteren toch gezien hebben? En verteld hebben op welke school hij zit? Of misschien...

'Hoi.'

Marileen schrikt. Nu zit ze de hele tijd zo op te letten en merkt ze niet eens dat Dennis de kamer is binnengekomen.

'Hallo', groet moeder terug, 'hoe was je dag vandaag?'

'Kon beter', antwoordt Dennis, 'maar ook slechter. Een gewone, lange, saaie schooldag dus. Is er nog iets lekkers in huis? Een reep chocola of een gevulde koek of een zak chips of...'

'Ho maar', onderbreekt moeder hem lachend, 'ik heb tussen de middag krentenbollen meegenomen. Daar mag je er wel één van.'

Dennis loopt al naar de deur. 'Waar liggen ze?'

'In de bestekla', antwoordt moeder droog.

'Ja, ja', lacht Dennis, 'ik denk dat ik toch beter eerst in de brood-trommel kan gaan kijken.'

'Doe dat.' Lachend pakt moeder haar boek weer van de tafel.

Verbaasd kijkt Marileen naar de dichte deur: Dennis doet zo gewóón. Hij doet net of er niets aan de hand is. Of hij gisteren niet... Hij doet ook helemaal niet zenuwachtig of zo.

Nou ja, Marileen is in ieder geval blij dat Dennis niet is opgepakt door de politie. 'Maar hij heeft wel iets gestolen', klinkt in haar hoofd een stemmetje.

'Ik ga naar boven', zegt Marileen tegen moeder. 'U roept maar als we gaan eten.'

'Nu heb ik nog een leuke verrassing voor onze twee kinderen', zegt moeder 's avonds na het eten, 'jullie mogen samen de afwas doen. Papa en ik gaan vanavond naar de verjaardag van oom Bob. Dat is een flink eind rijden, dus hebben we besloten vroeg weg te gaan. Ik trek nog even snel iets anders aan en daarna gaan we weg. Trek jij ook iets anders aan?' vraagt ze aan vader.

'Eh, moet dat?' Verbaasd kijkt vader naar zijn kleren. 'Ik kan toch gewoon dit aanhouden?'

'Dat kan', antwoordt moeder, 'maar dat doe je niet. Schiet nu maar een beetje op, anders zijn we nóg laat op de verjaardag.'

'Ja, ja, ik ga al. Toch snap ik niet waarom deze kleren niet goed genoeg zijn', bromt vader als hij achter moeder aan de trap op loopt.

'Mooi is dat', moppert Dennis, 'onze ouders gaan fijn naar een verjaardag, en wij mogen die stomme afwas doen.'

'Ja, en wij mogen ook de tafel afruimen', zegt Marileen, 'als jij ook een paar borden naar achteren brengt?'

'Rustig maar', zegt Dennis, 'je zit zelf ook nog op je luie gat.'

'Maar nu niet meer', zegt Marileen, terwijl ze gaat staan.

Meteen komen vader en moeder de kamer weer binnen. Moeder met roze blosjes op haar wangen en vader die met een benauwd kijkend gezicht zijn stropdas wat losser doet.

'Kijk eens aan', zegt moeder goedkeurend, 'jullie zijn al gezellig bezig. Wij gaan. Veel plezier met de afwas en allebei niet te laat naar bed vanavond. Doei.'

'Ik was af', zegt Dennis.

'Dat is goed', zegt Marileen, 'dan vouw ik nog even het tafellaken op.'

Als ze even later weer in de keuken komt, is Dennis bezig met het afdrogen van zijn handen.

'Hé, je bent toch nog niet klaar?' roept Marileen verontwaardigd uit. 'Alleen de borden zijn nog maar afgewassen.'

Lachend hangt Dennis de handdoek terug op het haakje. 'De rest

mag jij doen. Jij wordt later toch huisvrouw, kun je vast oefenen.'
'Ik word geen huisvrouw', zegt Marileen boos, 'en we moesten samen afwassen van mama.'
'We doen het toch samen?' lacht Dennis, 'ik heb alle borden afgewassen. Wees blij dat je het niet alleen hoeft te doen.'
Marileen voelt zich steeds bozer worden. 'Het is niet eerlijk! We zouden het samen doen en...'
Zonder te luisteren naar wat Marileen nog meer wil vertellen, loopt Dennis de keuken uit. Even later hoort Marileen de buitendeur.
Hij moet natuurlijk weer op dievenpad, denkt ze boos. Als hij de volgende keer weer zo klierig doet, zal ik hem eens vertellen wat ik allemaal weet!

4 Wat nu?

Tevreden kijkt Marileen naar het kartonnen bouwwerk op haar bureau. Eindelijk is het stoeltje van Bubbel af. Ze is er wel een paar dagen mee bezig geweest.
'Fijn hè, Bubbel? Nu alleen nog de lijm laten drogen, dan is het stoeltje helemaal klaar.'
Precies onder de zitting heeft Marileen een geheim vakje gemaakt. Als het stoeltje op de grond staat, zie je er niets van. Marileen denkt dat de lijm over een kwartiertje wel droog is. Dat is precies de tijd die ze nodig heeft voor het schrijven van een heel belangrijk praatbriefje.

'Dennis', schrijft Marileen als eerste woord op. Dan komen de andere woorden er als vanzelf achteraan: 'Jij denkt dat ik niets weet, hè? Nou, ik weet toevallig alles. Ook dat jij steelt, uit schuren. En ik weet ook met wie. Met Jeroen en Ralph. Ja, nu word je bang, hè? Eigen schuld. Moet je mij maar niet telkens zo plagen. Als je weer een keer wegloopt van de afwas zeg ik alles tegen papa en mama.'

Het is alweer bijna twee weken geleden dat Dennis spullen uit een schuur heeft gestolen. Nu pas heeft Marileen hierover durven schrijven. Zal ze het nu ook tegen papa durven zeggen? Papa zal vast boos zijn als hij hoort dat Dennis een dief is. Maar misschien gelooft papa haar niet en Dennis zal ook zeggen dat ze liegt. Marileen vindt het allemaal zo moeilijk. Daarom heeft ze het nog steeds aan niemand verteld. Alleen zij weet dat Dennis gestolen heeft. En Dennis zelf natuurlijk. En de andere jongens die erbij waren. Zij zijn eigenlijk ook dieven.

Marileen is blij dat ze het eindelijk heeft durven opschrijven. Ze moet het praatbriefje maar vaak overlezen...
Voorzichtig voelt Marileen aan het geheime vakje of de lijm al droog genoeg is om de briefjes erin op te bergen. 'Dat moet kunnen', mompelt ze.
'Wat passen de briefjes er mooi in', zegt ze even later blij tegen Bubbel, 'precies zoals ik gehoopt had. Je ziet er écht niets van... Jij mag er na het eten op zitten', belooft ze. 'De lijm is nu nog niet overal goed droog.'

'Eten!' roept moeder onderaan de trap.
'Joehoe, ik kom', roept Marileen terug.
Meteen gaat de deur van haar kamer open. 'Eten joh', zegt Dennis, terwijl hij nieuwsgierig rondkijkt. 'Hè?' zegt hij verbaasd bij het zien van de kartonnen stoel, 'ben je nu al aan het knutselen voor Sinterklaas? Dat duurt nog meer dan een halfjaar, hoor!'
'Weet ik', zegt Marileen. 'Het is ook niet voor Sinterklaas. Het is voor, voor... gewoon. Ik heb gewoon iets geknutseld.'
'O, is het al af? Wat is het dan? Ik vind het nergens op lijken.'
'Het is, het is... het is een stoel voor Bubbel.'
Marileen voelt tranen prikken achter haar ogen. Waarom doet Dennis ook zo vervelend? De stoel voor Bubbel lijkt meteen niet zo mooi meer.
'Het is een stoel voor die stomme beer?' lacht Dennis. 'Dat zou je ook niet zeggen.'
'Bubbel is niet stom. Jij bent pas stom. En nu mijn kamer uit. We moeten eten.'
'O ja? Ben ik stom?' vraagt Dennis dreigend. 'En waarom dan wel?'
'Omdat, omdat... Daarom!' Boos duwt Marileen haar broer opzij.

'Komen jullie nog?' vraagt moeder ongeduldig.
'Ja', snauwt Marileen, 'we komen.' Harder dan ze wil, bonkt ze de trap af naar beneden.

'Nou, nou', zegt moeder, 'een beetje rustiger mag ook wel.'

'Ja joh', lacht Dennis, 'dat je geen stoelen kunt maken, daar kan de trap toch ook niets aan doen?'

'Stoelen maken?' vraagt moeder verbaasd.

'Ja', antwoordt Dennis, 'Marileen is een vervroegd Sinterklaascadeautje aan het maken. Voor die stomme beer van haar.'

Marileen zit met een strak gezicht aan tafel.

Moeder haalt haar schouders op. 'Het klinkt als iets leuks.'

'Dat is het ook', lacht Dennis, 'het is de leukste stoel die ik ooit gezien heb.'

Marileen probeert niet te luisteren. Op de maat van haar prakkende vork denkt ze: ik ga het zeg-gen, ik ga het zeg-gen, ik ga het zeg-gen...

'Is papa er niet?' vraagt Marileen even later.

'Nee', antwoordt moeder, 'maar dat weet je toch? Het is woensdag, dan is papa altijd laat thuis.'

'O ja', zegt Marileen.

'Ja joh', zegt Dennis er meteen achteraan, 'dat weet je toch?'

'Zo is het wel genoeg, Dennis', zegt moeder, 'als je nu niet ophoudt met plagen, mag je straks de hele afwas in je eentje doen.'

Met een verongelijkt gezicht kijkt Dennis van moeder naar Marileen. Even lijkt het of hij nog iets wil zeggen. Daarna gaat hij weer verder met eten.

5 Drie keer kloppen

Die avond zit Marileen niet rustig beneden. Ze wil op vader wachten. Misschien wil hij straks wel een spelletje met haar doen. Maar ze wil ook naar boven. Om Bubbel op het stoeltje te zien zitten.
Dennis is alweer naar buiten, naar zijn vrienden.
Marileen kijkt naar de klok. Papa kan elk moment thuiskomen, maar het kan ook nog een halfuur duren. 'Ik ga nog even naar boven', zegt ze tegen moeder.
Moeder knikt.
Nog één keer kijkt Marileen door het raam. Misschien dat papa toevallig nét thuiskomt?
Daarna loopt ze de kamer uit.

Met een kritische blik kijkt Marileen naar het kartonnen bouwwerk op haar bureau. Ze snapt niet waarom Dennis daarnet zo raar deed. Iedereen kan toch zo zien dat dit een stoeltje is? Ze pakt haar knuffelbeer van de grond. 'Jij ziet het tenminste wel, hè Bubbel?' zegt ze zachtjes. 'Wil je erop zitten? Dat mag best hoor.'
Voorzichtig zet ze de beer op de zitting. Nu zie je helemaal dat het een stoel is.
'Mooi hè?' glundert Marileen, 'heb ik helemaal voor jou alleen gemaakt. En natuurlijk ook een beetje voor mezelf', zegt ze er achteraan.
Blij gaat Marileen weer naar beneden. En ze is nog blijer als even later vader thuiskomt.

'Ja hoor, ik wil best een spelletje doen', zegt vader, 'tenminste, als je mij laat winnen.'
'Hangt er vanaf', zegt Marileen.

'Waar vanaf?'

'Nou, of u goede kaarten krijgt. Anders laát ik u echt niet winnen.'

'O nee?' Vader doet nu net alsof hij heel boos is op Marileen.

'Nee', roept Marileen, 'ik laat u niet winnen!'

'Kan het alsjeblieft wat zachter?' vraagt moeder, 'ik probeer een serie te volgen. Nog vijf minuten, dan is het programma afgelopen.'

'Sstt', doet vader met zijn vinger tegen de mond, 'je moet mij zachtjes laten winnen.'

'Nee', fluistert Marileen terug, 'ik laát u niet winnen.'

Snel begint ze met het uitdelen van de kaarten.

'Hallo, hier ben ik weer. Ik ga naar boven. Maar ik mag vast wel een koekje uit de trommel?'

'Pak maar', zegt moeder, die de televisie inmiddels heeft uitgezet. 'En als je er koffie bij neemt, wil je ons dan ook meteen nog een keer inschenken?'

'Ik hoef geen koffie', antwoordt Dennis met volle mond, 'straks misschien, nu ga ik naar boven. Huiswerk maken.'

Verbaasd kijkt vader naar de dichte deur, waarachter Dennis zojuist is verdwenen. 'We zullen maar denken dat hij haast heeft.' Vragend kijkt vader naar Marileen.

'U bent.' Marileen wil niet over Dennis praten. Ze wil verder kaarten met haar vader. 'Ik denk dat ik wéér ga winnen', zegt ze.

'Ja, dat denk ik ook.'

Marileen hoort direct aan vaders stem dat dit het laatste spelletje is. Hij praat wel tegen haar, maar toch ook weer niet. Vader let trouwens ook helemaal niet meer op het spel. Marileen kan daardoor makkelijk winnen.

Zodra het spelletje is afgelopen, schuift vader zijn stoel naar achteren. 'Zo, ik heb genoeg gekaart voor vanavond. Ik kan toch niet van je winnen.'

Moeder komt net de kamer weer binnen, met de koffiepot. 'Zal ik je koffie hier inschenken, of blijf je aan de tafel zitten?'

Vader schudt zijn hoofd. 'Schenk mijn koffie nog maar niet in. Ik ga eerst naar boven. Ik wil Dennis even spreken. Het duurt niet lang. Zet mijn kopje maar alvast bij de bank neer. Ik ben zo weer beneden.'

'Ik ga ook naar boven', zegt Marileen. Altijd Dennis, Dennis, Dennis! denkt ze boos op de trap.

Ze had heus wel gezien dat Dennis iets onder zijn trui verstopt had. Hij liep ook hartstikke snel.

We zullen maar denken dat hij haast heeft, zei vader nog. Misschien heeft vader ook gezien dat Dennis iets onder zijn trui had. Wil hij daarom Dennis spreken?

Ze hoort iemand op de trap. Vader komt naar boven. Opeens voelt Marileen zich bang worden. Ze loopt naar Bubbel en pakt hem heel stevig vast. 'Papa wordt straks vast erg boos', fluistert ze. Met Bubbel nog steeds stevig in haar armen geklemd gaat ze op bed zitten.

Ze hoort voetstappen, vader loopt regelrecht naar de kamer van Dennis. Drie korte klopjes, daarna gaat hij naar binnen.
Angstig blijft Marileen wachten, maar ze hoort geen boze stemmen...
'Stom hè', fluistert Marileen tegen Bubbel, 'dat papa moet kloppen in zijn eigen huis?' Dat staat op een briefje op de deur: drie keer kloppen. In het oude huis heeft ze ook eens een briefje op haar deur geplakt: één keer kloppen. Maar dat hielp toen niets. Dennis bleef gewoon op haar kamer komen. Zomaar, zonder kloppen. 'Tja, verschil moet er wezen', heeft hij een keer gezegd. 'Ik ben nu eenmaal jouw meerdere. Eigenlijk zou je ook nog 'meneer' tegen me moeten zeggen.' Poe, 'meneer' tegen Dennis zeggen. Nou, dan kan hij lang wachten. Hij gaat eerst maar eens 'mevrouw' tegen zijn zusje leren zeggen! Dat heeft ze al op een praatbriefje geschreven.
Ze buigt zich voorover naar Bubbel. 'Eigenlijk zou hij jou ook eerst meneer Bubbel moeten noemen. Vind je niet?'
De knuffelbeer geeft natuurlijk geen antwoord. Wel lijkt het nu net of hij een beetje lacht.
Marileen hoort de deur van Dennis' kamer weer opengaan. 'Als je maar weet dat ik voorlopig geen goed woordje voor je doe. Bij niemand meer.'
Met grote stappen loopt vader naar de trap. 'Snotaap. Wat denkt hij wel', moppert hij nog na als hij naar beneden gaat.
'Hoor je wel dat papa boos is?' fluistert Marileen tegen Bubbel. 'En dat komt allemaal door die stomme Dennis.'

6 Karin krijgt een hond

'Wij krijgen een hond', vertelt Karin een week later op het schoolplein. 'Van mijn oom. Die heeft een labrador, dat is een groot soort
hond. Maar de hond die wij krijgen is nog klein, hoor. Hij is nu
nog maar drie weken oud. Pas als hij tien weken is, komt hij bij
ons.'
'Wat leuk!' roept Marileen uit. 'Een hond, ik zou ook wel een hond
willen.'
'Misschien zijn nog niet alle hondjes van het nest verkocht', zegt
Karin. 'Zal ik het eens vragen aan mijn oom? En als er dan nog
eentje is, moet hij die dan apart houden voor jou?'
Marileen schudt haar hoofd. 'Nee, ik mag toch geen hond.'
'Een hond is best tof', vertelt Karin enthousiast verder, 'je kunt
met 'm knuffelen, en met 'm wandelen en honden zijn ook heel
lief.'
'Ja', zegt Marileen weer. En volgens mijn moeder poepen ze ook
het hele huis onder, denkt ze erachteraan.
'Waarom mag jij geen hond?' vraagt Karin.
'Daarom niet', zegt Marileen, 'het mag gewoon niet.'
Karin haalt haar schouders op. 'Ik weet al een naam voor onze
hond: Kyra. Dat is een meisjesnaam voor een hond. Vind je dat een
mooie naam?'
'Ja hoor', zegt Marileen.
Zwijgend lopen ze verder.
Eigenlijk vindt Marileen Kyra maar een rare naam voor een hond,
zo deftig. Als zij een hond zou hebben, zou ze hem Lobbes noemen
of Rakker. Ze zou het liefst een kleinere hond willen hebben.
Eentje die lekker bij je op schoot komt zitten en die je kunt knuffelen.

'Joehoe, Els, Michelle!'
Wild zwaaiend probeert Karin de aandacht van haar klasgenoten te trekken.
'Wat is er?' roept Els.
'Wij krijgen een hond', vertelt Karin even later ook aan de twee meisjes, 'een labrador. Maar hij is nu nog klein, hoor. En...'
'Wauw, gaaf!' valt Els haar in de rede. 'Wij hebben ook een labrador, dat zijn hartstikke lieve honden.'
'Ja', vertelt Michelle, 'en ze zijn ook heel lief voor kleine kinderen. Dat heb ik wel eens gehoord.'
'Klopt', zegt Karin, 'ik denk dat ik mijn hond straks Kyra ga noemen. Hij is drie weken geleden pas geboren. O nee, zij is drie weken geleden pas geboren. Kyra is een meisje.'
'Een teef', zegt Els.
'Ja', knikt Karin, 'een teef. Als ze tien weken is, gaan we haar halen. En ik mag het meeste voor haar zorgen. Uitlaten en zo. O, het lijkt me toch zo leuk allemaal!'
'Mag ik dan eens met je mee?' vraagt Marileen.
'Natuurlijk', antwoordt Karin, 'gezellig juist.'
Marileen voelt zich opeens heel blij. Al heeft ze nog steeds geen eigen hond, ze mag straks toch met een hond gaan wandelen. Als ze moeder vertelt hoe leuk het is om een hond te hebben... Wie weet, mag ze dan toch een keer een hond?

Bah, ze eten bietjes. Met tegenzin gaat Marileen aan tafel zitten. Ze heeft juist zo'n trek. Misschien is er nog een andere groente?
'Marileen', roept moeder vanuit de keuken, 'kom eens wat halen. Ik hoef toch niet alles alleen te doen!'
Nee hoor, denkt Marileen terwijl ze opstaat. Maar ik hoef toch ook niet altijd als enige te helpen?
Met een grote zwaai opent ze de keukendeur. 'Kan ik die pan al meenemen?' Marileen wijst naar de pan die op het aanrecht staat.
'Nee, natuurlijk niet.'

Met een ongeduldig gebaar veegt moeder een sliert haren uit haar gezicht. 'Dat zijn de aardappels, die moeten nog afgegoten worden. Maar ik moest ook de bieten schaven en de sla schoonmaken...'

'Kan de sla al wel mee?' vraagt Marileen.

'Ja.'

'Is er ook nog andere groente?' vraagt Marileen als ze de keuken weer binnenkomt.

'Nee. Hè kind, houd toch eens op met vragen. Schiet liever een beetje op. Ik hoorde je vader net thuiskomen. En heb je Dennis al geroepen om te eten? Hier, de aardappels kunnen nu wel mee. En als je daarna de andere pan nog komt halen, dan neem ik het vlees wel mee.'

Het is ook nooit goed, denkt Marileen boos als ze de pan op tafel zet. Ik doe hartstikke veel en Dennis zit lekker boven. Nu moet ik hem ook nog roepen.

Direct na het eten staat Dennis op van tafel. 'Ik ga nog even naar buiten, naar de andere jongens. Een uur of negen ben ik wel weer thuis.'

'En je huiswerk?' vraagt vader, 'heb je dat al af?'

'Bijna', antwoordt Dennis, 'ik moet alleen aardrijkskunde nog nakijken.'

'Als je daar dan maar vroeg genoeg aan denkt', zegt vader.

'Ja, natuurlijk. Ik heb straks nog tijd genoeg. Mag ik dan nu gaan?'

'Als je eerst meehelpt met het afruimen van de tafel', antwoordt vader. 'Daar heb je volgens mij ook nog tijd genoeg voor.'

Snel stapelt Dennis een paar borden op elkaar. 'Gedaan', roept hij even later vanuit de keuken, 'ik ga. Doei.'

Hoofdschuddend kijkt vader naar moeder. 'Wat doet Dennis elke avond toch buiten? Net of er niets beters te doen is dan een beetje rond te hangen op straat.'

'Laat die jongen toch', zegt moeder. 'Wees blij dat hij zoveel vrienden heeft. Over vrienden gesproken', gaat ze verder tegen Marileen, 'weet jij al iets leuks voor je verjaardagspartijtje volgende maand? Mij lijkt het wel leuk om een slaapfeest te organiseren. Dan mag iedereen uit je klas komen. Nou, wat vind je ervan?'

'Ik weet niet', antwoordt Marileen.

'Ik weet niet?' roept moeder verbaasd uit. 'Weet je nog hoe leuk het slaapfeest van Dennis een paar jaar geleden was? Zoiets is toch altijd leuk? Al is het maar om je klasgenoten wat beter te leren kennen. Nou ja, denk er nog maar eens over na. Goed?'

'Ja', knikt Marileen. Meteen zet ze twee pannen in elkaar en brengt ze naar de keuken.

Een slaapfeest, ze moet er niet aan denken. Ze zou niet weten wat ze de hele avond met haar klasgenoten moest doen. Ze staat vast voor gek als ze het vraagt. Alleen Karin mag komen als ze jarig is.

Als Marileen weer terugkomt in de kamer zitten vader en moeder nog steeds aan tafel.

'Toch snap ik niet waarom Dennis opeens niet meer wil', hoort ze vader zeggen. 'Een paar weken geleden was hij nog zo enthousiast.'

'Laat 'm nou maar', zegt moeder, 'hij krijgt ook steeds meer huiswerk.'

'Daar merk ik anders weinig van.'

'Toch is het zo', gaat moeder verder, 'juist gisteren vertelde hij nog hoeveel...'

'Ik ga ook naar buiten', zegt Marileen. Zonder op antwoord te wachten, loopt ze naar de gang.

'Niet te laat thuiskomen, hè?' roept moeder haar na.

'Nee', roept Marileen terug. Dan staat ze buiten. Ze doet haar jas dicht en besluit naar het speeltuintje te gaan. Misschien ziet ze Anne daar wel. Met Anne kan ze tenminste lekker lachen.

7   De plastic tas

Jammer, Anne is niet bij het speeltuintje. Marileen heeft geen zin
om verder te zoeken. Anne kan overal zijn. Voor een volgende keer
moet ze maar met haar afspreken.
Misschien is Anne wel thuis. Als ze daar naartoe gaat, kan ze
meteen voor morgenavond iets afspreken. Tevreden over deze
oplossing loopt Marileen naar Annes huis.
Onderweg ziet Marileen twee meisjes met een hond wandelen.
Over een paar weken wandel ik misschien ook wel met een hond,
denkt ze verlangend. Samen met Karin. Eigenlijk wil ze nog steeds
veel liever zelf een hond hebben, net als Karin straks. Hè, waarom
mag ze ook geen hond!
Halverwege de straat blijft Marileen staan en kijkt achterom om
het hondje nog een keer te zien.
O, kijk. Eén van de meisjes gooit met een stok. Luid blaffend rent
de hond erachteraan. Als hij de stok weer teruggebracht heeft,
gooit het andere meisje met de stok. Opnieuw brengt de hond de
stok terug.
Wat leuk! Zal zij straks ook zo met de hond van Karin mogen
spelen? Vast wel.
Na nog een paar keer gooien, lopen de meisjes weer verder. Marileen draait zich om.
Opeens ziet ze Dennis. Hij loopt aan de overkant van de straat,
samen met Ralph en Jeroen en nog twee jongens. Dennis ziet haar
ook. Hij schrikt. De andere jongens lachen en stoten hem aan. Ze
wijzen naar de plastic tassen die ze dragen. Dennis draagt ook één.
Hij lacht nu ook en geeft de jongen naast hem een harde duw.
Opeens rent Dennis weg. Lachend hollen de andere jongens achter
hem aan.

Verbaasd kijkt Marileen haar broer na: waarom schrok Dennis toen hij haar zag? En waarom rent hij nu opeens zo hard weg? Ze vindt het ook gek dat ze allemaal dezelfde plastic tas bij zich hebben: wit met blauwe letters.

Heeft Dennis soms weer gestolen? Nee, dit was anders dan toen ze Dennis een paar weken geleden in de steeg gezien heeft. Toen deden de jongens geheimzinnig; nu waren ze vrolijk. Toch schrok Dennis toen hij haar zag...

Als Marileen een halfuur later boven op haar kamer zit, schiet het haar te binnen dat ze naar Anne had willen gaan. Nou ja, dat kan morgen ook nog. Nu moet ze eerst weer een paar praatbriefjes schrijven. Aan wie eerst? Aan moeder maar. Daar heeft ze al lang over nagedacht.

'Mama. Ik wil geen slaapfeest met mijn verjaardag, maar ik wil wel graag een hond. Ik zal goed voor hem zorgen, ook als hij in huis poept. Dan maak ik alles weer schoon. Mag het alstublieft? Dan zal ik proberen nog beter mijn best te doen op school.'

Hier stopt Marileen met schrijven. Ze doet toch al haar best? Ze streept de laatste zin door en in plaats daarvan schrijft ze op: 'Ik zal niet meer zeuren als ik boodschappen moet doen.'

Tevreden legt Marileen haar pen neer. Dat is beter. Wacht, er schiet haar opeens iets heel slims te binnen. Haastig begint ze weer te schrijven. 'Want honden moeten veel wandelen, dus dan doe ik juist graag boodschappen!'

Zuchtend legt Marileen het briefje voor mama opzij. Nu wil ze nog een briefje voor papa schrijven, over Dennis. Dat is moeilijker, maar toch begint ze meteen.

'Papa. Ik weet iets wat u niet weet. Dennis steelt, uit schuren. Het is echt waar, ik heb het zelf een keer gezien. En volgens mij doet hij nog meer dingen stiekem. Als u hem hiervoor nu straft, dan doet hij het daarna misschien niet meer en...'

Opeens durft Marileen niet verder.

Papa zal het misschien nog wel geloven, maar mama? Die gelooft nooit dat Dennis zoiets zou doen. En als ze hoort dat Marileen dit aan papa heeft verteld en Dennis hoort dat ook...

Met grote halen krast Marileen de woorden op het praatbriefje door. Ze krast zo hard dat er allemaal gaten in het papier komen. Doorgaan, doorgaan, harder krassen, steeds harder...

Als Marileen eindelijk haar pen neerlegt, voelt ze zich opeens heel erg moe. Ze pakt de briefjes en loopt ermee naar haar bed.

'Je mag zo bij mij op schoot', belooft ze Bubbel, 'eerst de briefjes opbergen.'

Met Bubbel in haar armen geklemd, denkt Marileen weer terug aan het begin van de avond. Ze begrijpt nog steeds niet waarom Dennis schrok toen hij haar zag. Het leek wel of hij iets gedaan had wat niet mocht. Maar is dat ook zo?

'Snap jij het misschien, Bubbel?' vraagt ze zachtjes. 'Kon je maar echt praten, dan zou je mij misschien kunnen helpen. Maar je helpt me nu ook al, hoor. Heel erg zelfs.'

Knal, de buitendeur. Dat is Dennis. Marileen hoort hem de trap op komen.

Het volgende moment staat Dennis in haar kamer. 'Zit je weer met die stomme beer te praten? Zeker over mij te roddelen. Laat ik niet merken dat je iets tegen papa en mama vertelt.'

'Wát mag ik niet aan papa en mama vertellen?' vraagt Marileen met bonkend hart, 'en waarom klop je niet eerst voordat je bin- nenkomt?'

Ze klemt Bubbel steviger vast. Het is nog lang geen negen uur, waarom is Dennis nu al thuis? Ze wil niet laten merken dat ze bang is. Ze wil dat Dennis weggaat! Maar dat doet hij niet. Drei- gend gaat Dennis nu vlak voor haar staan. 'Of heb je het soms al aan iemand verteld, dat je mij vanavond gezien hebt?'

'Nee', antwoordt Marileen, 'waarom zou ik?'

'Mooi. Je hebt mij vanavond niet gezien en je hebt ook niet gezien

dat ik eten bij de snackbar heb gehaald. Begrepen?'
Marileen knikt.
'Mooi', zegt Dennis weer. Heel even blijft hij nog staan, daarna
draait hij zich om. 'Stomme beer', mompelt hij. Hij schopt tegen
Bubbels stoel. 'Stomme stoel', zegt hij, harder nu.
Daarna stapt hij de kamer uit en is Marileen weer alleen met
Bubbel.
Ze voelt een traan langs haar wang glijden, en nog één, en nog
één...
'Stomme Dennis', huilt ze. 'Stomme, stomme Dennis!'

Gelukkig is de stoel niet erg kapot. Alleen de onderkant zit een
beetje los, maar dat is heel gemakkelijk weer te maken. Marileen
begint er meteen aan. 'Over een paar minuten kun je er weer op
zitten', zegt ze tegen Bubbel. Langzaam draait Marileen de dop
weer op de lijmpot. Ze had aan haar werkstuk over poezen willen
werken vanavond, maar daar heeft ze nu geen zin meer in. Ze zou
eigenlijk ook nog meer informatie moeten hebben. Ze heeft al wel
een heleboel plaatjes, maar ze weet bijvoorbeeld niet hoe oud
poezen kunnen worden. Binnenkort moet ze maar eens naar de
bibliotheek. Daar hebben ze een heleboel informatieboeken over
poezen.
'Ik ga naar beneden', zegt ze tegen Bubbel. 'Straks kom ik weer bij
je terug. Dan gaan we eerst samen een stripboek lezen en daarna
gaan we slapen.'
Voordat Marileen naar beneden gaat, wast ze nog even haar
gezicht in de badkamer. Papa en mama hoeven niet te zien dat ze
gehuild heeft. Dat is alleen maar lastig.

8 Dino

'Vanmiddag ga ik naar de bibliotheek', zegt Marileen een paar dagen later tegen haar moeder, 'boeken halen voor mijn werkstuk. Daarna ga ik naar Karin. Misschien gaan we ook nog samen met haar moeder naar kleine hondjes kijken. Dat wist Karin nog niet. Maar als ze gaan, mag ik dan mee? Alleen weet ik dan niet precies hoe laat ik thuis ben.'

'Huh, wat zei je?' vraagt moeder, zonder op te kijken van de krant.

'Ik ga vanmiddag naar de bibliotheek', herhaalt Marileen, 'en daarna naar Karin. En dan...'

'Naar de bibliotheek, zei je?' onderbreekt moeder haar. 'Wil je dan meteen naar de bakker gaan? Anderhalf wit en een half bruin. Wacht, ik zal even geld pakken.'

Zuchtend pakt Marileen het bibliotheekpasje uit de bovenste la van de kast. Ze heeft helemaal geen zin om naar de bakker te gaan. Dan loopt ze de hele middag met het brood te sjouwen.

'Kan Dennis vanmiddag niet naar de bakker?' vraagt Marileen als moeder de kamer weer binnenkomt.

'Waarom?' vraagt moeder verbaasd, 'jij komt er vlak langs. Dat is toch veel makkelijker? Bovendien heeft Dennis huiswerk en jij niet. Hier, vijf gulden. Dat moet genoeg zijn. Hoe laat ben je thuis?'

'Dat weet ik niet precies', antwoordt Marileen. 'Misschien dat we nog jonge hondjes gaan kijken bij een oom en tante van Karin. Want over een paar weken krijgt Karin...'

'Oh oh, is het alweer zo laat?' Geschrokken kijkt moeder op haar horloge. 'Ik moet weer naar mijn werk. Eh, kijk maar hoe laat je thuis bent. Niet het brood vergeten, hè?'

'Nee', antwoordt Marileen, maar dit had ze net zo goed niet kunnen zeggen. Moeder is al in de gang en doet de buitendeur open.

Marileen doet haar jas aan en haalt een plastic tas uit de gangkast.
Daar kunnen straks mooi de bibliotheekboeken in.
Neuriënd zit Marileen even later op de fiets. Ze heeft zin om naar
de kleine hondjes te gaan kijken. Misschien mag ze er ook wel
even eentje vasthouden.

'Oh, wat lief. Ach, moet je die kleine bruine zien en daar die ene
met een klein vlekje op zijn borst.'
Marileen komt haast ogen te kort. Ze zit op haar knieën bij de doos
met daarin de moederhond en twee van haar jongen. De overige
vier hondjes lopen rond in de kamer. Ze zijn nu bijna zes weken
oud. Soms drinken ze bij hun moeder, maar ze krijgen ook
papmaaltijden. En 's ochtends en 's avonds krijgen ze zelfs kleine
porties rauw vlees.
Geen wonder dat ze al zo groot zijn, denkt Marileen. Ze had gedacht dat ze nog veel kleiner zouden zijn.
De meest lichtbruine is het hondje van Karin. Die ziet er heel
grappig uit!
De moederhond is ook lief, vindt Marileen. Die vindt gewoon alles
maar goed. Dat iedereen komt kijken, dat de hondjes bij haar
drinken... Eigenlijk is het helemaal niet leuk voor de moederhond,
bedenkt ze. Nu ze kleintjes heeft, komt opeens iedereen kijken.
Niet naar haar, maar naar de kleine hondjes. En de hele tijd moet
de moederhond maar horen hoe lief de kleintjes zijn. Zachtjes aait
Marileen over de kop van de moederhond. 'Ik vind jou ook heel
lief', zegt ze zacht.
'Ja hè', zegt Karin. 'En Kyra lijkt het meest op haar moeder, zeggen
ze. Daarom heb ik Kyra uitgekozen. Leuk is ze, hè? Kijk dan hoe ze
probeert te drinken bij haar moeder.'
Zonder te stoppen met aaien, kijkt Marileen naar de twee kleine
hondjes. Het is inderdaad een grappig gezicht om Kyra te zien
zoeken naar een drinkplekje op de buik van haar moeder.
'Hoe heet ze eigenlijk?' vraagt Marileen.

'Kyra toch?' zegt Karin verbaasd. 'Dat heb ik je toch al verteld?'

'Ik bedoel de moederhond', zegt Marileen.

'Dino', antwoordt Karin, 'die naam heeft m'n oom verzonnen. Maar ik vind Kyra een mooiere naam, en jij?'

'Ik vind het allebei mooie namen...' Opeens stopt Marileen met aaien. De naam Rakker zou heel goed passen bij het gevlekte hondje. Ze schuift een eindje achteruit.

'Wil je Kyra even vasthouden?' vraagt Karin, 'dat mag best hoor. Wacht, ik zal even aan tante Kitty vragen of het nu al mag. Omdat ze aan het drinken zijn, snap je?' Karin gaat staan. 'Mijn tante is in de keuken, ik ben zo terug.'

Marileen knikt en kijkt eens om zich heen. Waar zouden de andere vier hondjes zijn? O kijk, daar komt er net eentje aan lopen. Hij wil weer in de doos. Zeker om te drinken. Ja hoor, kijk 'm eens zoeken naar een drinkplekje. Wat een brutaaltje, zeg! Hij stapt boven op de andere hondjes. Maar die trekken zich er niets van aan; ze blijven rustig drinken. Gelijk hebben ze. Hè, hè, eindelijk

heeft het derde hondje ook een eigen drinkplekje gevonden.
Wat een gekrioel zal dat zijn als ze allemaal tegelijk bij hun
moeder willen drinken. De andere drie hondjes lopen nog steeds
vrolijk rond in de kamer.
Marileen vindt de hondjes allemaal even leuk om te zien, maar
Dino vindt ze de allerliefste.
Ze schuift een stukje naar voren en begint weer zachtjes over
Dino's kop te aaien.
'Ja hoor, je vriendin mag er best eentje vasthouden. Zeg maar
welke ik even voor je zal pakken.'
Net als Marileen gaat de tante van Karin op haar knieën bij de
doos zitten. 'Weet je het al?' vraagt ze aan Marileen.
'Eh', Marileen stopt met aaien. Ze kijkt naar de drie drinkende
hondjes. De pup met het vlekje op zijn borst is net klaar met
drinken, zou ze die...?
'Kyra natuurlijk', zegt Karin, voordat Marileen antwoord kan
geven, 'dan kan Kyra alvast een beetje aan Marileen wennen. Want
straks gaat Marileen soms mee wandelen en dan is ze niet zo
vreemd meer voor Kyra. Mag ik haar pakken?'
'Ze is eigenlijk net lekker aan het drinken bij haar moeder', twijfelt tante Kitty. 'Die met het vlekje op zijn borst is net gestopt met
drinken. Wil je die misschien even vasthouden, Marileen?'
'Graag', antwoordt Marileen. 'Tenminste, als het ook van Dino
mag', zegt ze er aarzelend achteraan.
'Ja hoor, dat vindt Dino wel goed. Zo te zien zijn jullie al aardig
goede vriendjes. Wil je het hondje zelf pakken?'
'O ja', antwoordt Marileen.
'Mag wel even, hè Dino', zegt ze zachtjes als ze het kleine hondje
uit de mand pakt.
Dat doet ze heel voorzichtig. Nog voorzichtiger legt ze het hondje
daarna op haar arm. Wat lief, wat zacht, wat mooi...
Marileen vergeet alles om zich heen. Het enige wat ze ziet, is een
klein lief hondje.

9. Blom's Geschenkenhuis

'Hier, je brood', zegt Karin als Marileen aan het eind van de middag weer naar huis gaat.
'Oei, bijna vergeten', schrikt Marileen.
'Bijna is nog niet helemaal', zegt de moeder van Karin opgewekt, 'en vergeet je de bibliotheekboeken niet?'
'Oei, ook bijna vergeten.'
Lachend kijkt de moeder van Karin haar aan. 'Weet je nog wel waar je huis staat of ben je dat ook al vergeten?'
'Nee hoor', lacht Marileen. En ik ben ook niet vergeten hoe de hondjes eruitzien, denkt ze erachteraan.
'Bedankt voor het spelen', zegt ze tegen Karin, 'en ook bedankt dat ik mee mocht.'
'Je gaat nog maar eens mee', zegt Karins moeder, 'tenminste, als je zin hebt.'
'Graag', antwoordt Marileen.
'Leuk joh', zegt Karin, 'dan zie je hoe snel Kyra groeit. Ze is echt lief, hè?'
'Ja', antwoordt Marileen, 'maar nu ga ik naar huis, tot morgen.'
'Tot morgen', roept Karin haar na.
Onderweg denkt Marileen bijna alleen maar aan de hondjes.
Maar ze denkt ook aan vanavond: direct na het eten ga ik aan mijn werkstuk werken, besluit ze. Volgende week moeten alle werkstukken ingeleverd zijn op school. Gelukkig heeft ze vanmiddag in de bibliotheek twee goede boeken gevonden: een boek over de geschiedenis van de kat, en een boek met alle bijzonderheden over katten. Ze weet al hoe ze het werkstuk eruit wil laten zien: met verschillende hoofdstukken en veel plaatjes. Veel plaatjes staan gezellig, vindt Marileen. En het is niet zo saai.

Ze heeft al een heleboel poezenplaatjes uitgeknipt, ook een hele grote. Die doet ze op de voorkant, misschien dat ze hierbij nog...

Dennis! Daar ziet ze Dennis, weer samen met die andere jongens. Ze lopen schuin voor haar, aan de overkant van de straat. Ze zijn wel met z'n vijven.
Haast als vanzelf gaat Marileen langzamer fietsen. Ze wil liever niet dat Dennis haar ziet. Maar ze wil liever ook niet zien dat haar broer weer iets steelt!
Marileen besluit een andere weg naar huis te nemen. Als ze een paar meter terugfietst, kan ze ook via een zijstraat bij het kruispunt komen. Dat is maar een klein stukje om. Voordat Marileen de zijstraat in fietst, kijkt ze nog een keer achterom. Ze ziet nog net het groepje jongens bij Blom's geschenkenhuis binnengaan.

's Avonds na het eten gaat Marileen direct naar boven. Ze heeft nog bijna twee uur de tijd om aan haar werkstuk te werken. Ze gaat eerst de poezenplaatjes uitzoeken, daarna gaat ze kijken wat ze er allemaal bij moet schrijven. Of kan het beter andersom? Eerst kijken wat ze op moet schrijven en daarna plaatjes uitzoeken? Nee, ze gaat eerst plaatjes uitzoeken. 'Anders weet ik toch niet wat ik op moet schrijven?' zegt ze tegen Bubbel.
Ze pakt de map met poezenplaatjes en haalt er een paar uit. Eén voor één houdt ze de plaatjes omhoog, zo kan Bubbel ze ook zien. 'Mooi zijn ze, hè? En wil je de voorkant ook al zien?'
Marileen zoekt even in de map, en houdt even later een grote foto van een poes omhoog. De poes is donkerbruin gevlekt, ongeveer dezelfde kleur bruin als de hondjes...
'Dat weet je natuurlijk nog niet', begint Marileen enthousiast te vertellen. 'Ik ben vandaag op bezoek geweest bij allemaal lieve hondjes. Zo lief en zo klein. Ze drinken nog bij hun moeder. Ik mocht er ook eentje vasthouden. Als ze straks groter zijn, mag Karin er één hebben. Ik weet al welke. En ik weet ook al welke ik

zou kiezen als ik er eentje mocht hebben. Maar dat mag niet. Jammer hè? Maar ik mag wel met Karin mee als ze met haar hondje gaat wandelen. En dat is ook leuk.'

'Wat is ook leuk?' vraagt Dennis, die opeens in haar kamer staat. Marileen schrikt. 'Kun je niet eerst kloppen?' vraagt ze.
Dennis haalt zijn schouders op. 'Waarom? Ik mag toch zeker ook wel horen wat je tegen die stomme beer te vertellen hebt? Hoe is het eigenlijk met dat gekke stoeltje van hem?' Lachend loopt Dennis ernaartoe.
'Goed', antwoordt Marileen snel, 'en vanmiddag ben ik bij Karin geweest, ze krijgt een hondje. Dat had ik tegen Bubbel te vertellen. En nu mijn kamer uit.'
Uit angst dat Dennis het stoeltje zal pakken, slaat Marileen beschermend haar arm om Bubbel heen. Geschrokken kijkt Dennis haar aan.
'Karin van der Zwaard?' vraagt hij met een vreemde klank in zijn stem. 'Ben jij vanmiddag bij Karin van der Zwaard geweest?'
'Ja.'
'En jij was ook pas laat thuis vanmiddag, hè?'
'Ja.'
Marileen wil niets meer horen, ze wil dat Dennis weggaat. Even lijkt het of Dennis nog meer wil zeggen, maar opeens draait hij zich om. Daarna gaat hij haar kamer uit.

'Rare broer heb ik, hè?' zegt ze zacht tegen Bubbel. 'Gelukkig ben jij gewoon. Wil je de andere poezenplaatjes nog zien? Dat is veel leuker dan naar die stomme Dennis te luisteren. Vind je ook niet?' Eén voor één houdt Marileen de plaatjes weer omhoog, zonder zelf te zien wat erop staat. In gedachten ziet ze steeds weer haar broer bij Blom's Geschenkenhuis naar binnengaan. Die winkel staat in dezelfde straat als waar Karin woont.

10 Een broer-zusdienst

'Je hebt het zeker wel druk met je huiswerk?' vraagt vader een paar dagen later onder het eten aan Dennis.
'Dat kun je wel zeggen ja', antwoordt Dennis. 'Hoezo?' vraagt hij er argwanend achteraan.
'Nou, omdat je de laatste tijd 's avonds bijna niet meer weggaat. En ook omdat', vader twijfelt, 'nou ja, omdat je laatst zei dat je geen tijd had voor het baantje bij de supermarkt dat ik voor je geregeld had. En...'
'Hè, begin daar toch niet steeds over', onderbreekt moeder. ' Wees blij dat hij zijn huiswerk zo serieus neemt.'
'Je hebt gelijk', zegt vader. 'Hoe gaat het op school?' vraagt hij verder aan Dennis.
'Goed', antwoordt Dennis, 'ik haal bijna alleen maar voldoendes.'
'Mooi', antwoordt vader. 'En jij', vraagt hij nu aan Marileen, 'hoe gaat het met jou op school?'
'Ook goed', antwoordt Marileen, 'en mijn werkstuk over poezen is nu bijna af. Als ik opschiet, krijg ik het vanavond misschien al af. Woensdag moeten alle werkstukken ingeleverd worden.'
'Over opschieten gesproken', zegt moeder, 'ik moet vanavond nog weg. Wassen jullie straks af?'

'Zal ik je afwasbeurt overnemen?' vraagt Dennis als Marileen met een stapel borden naar de keuken loopt, 'dan kun jij aan je werkstuk gaan werken.'
Van verbazing laat Marileen bijna de borden vallen. Ze gelooft haar eigen oren niet. Hier zit vast iets achter. 'Zomaar?'
'Zomaar. Noem het maar een broer-zusdienst', lacht Dennis er verlegen achteraan.

'O, nou. Mij best', antwoordt Marileen, 'maar je staat er vanavond wel alleen voor. Papa gaat ook weg.'

'Weet ik. Ga nou maar naar boven. Ik doe vandaag alleen de afwas.'

Dit laat Marileen zich geen twee keer zeggen. Met het werkstuk opengeslagen op haar bureau staart Marileen peinzend voor zich uit. Ze snapt even helemaal niets meer van haar broer. Dat Dennis haar afwasbeurt overneemt, pást gewoon niet bij hem. En het past ook niet bij hem dat hij 's avonds niet meer weggaat. Verder vindt ze het raar dat Dennis niet in de supermarkt wil gaan werken. Als bijbaantje na schooltijd. Hij wilde toch zo graag een krantenwijk om voor een brommer te sparen? Eigenlijk doet Dennis alles 'anders' sinds vorige week, toen ze hem bij Blom's Geschenkenhuis naar binnen heeft zien gaan. Zou hij dan toch weer...

Ach welnee. Noemde Dennis het overnemen van haar afwasbeurt daarnet zelf niet een broer-zusdienst? Eigenlijk moet ze haar broer hiervoor bedanken! Maar zal hij haar dan niet uitlachen? Omdat het weer gewoon een stomme grap van hem is? Omdat hij alleen maar net doet alsof hij haar aardig vindt? 'Ik schrijf wel een praatbriefje om hem te bedanken', besluit ze hardop, 'maar nu ga ik verder aan mijn werkstuk.'

11 Verraden!

'Ik heb gisteren Kyra weer gezien', vertelt Karin aan Marileen. 'En ze is alweer een stukje gegroeid.'
Karin houdt haar handen een eindje van elkaar. 'Kijk, zo groot is ze nu ongeveer. Groot hè?'
'Ja.' Marileen weet dat ze niet zo enthousiast klinkt, maar dat komt doordat ze teleurgesteld is. Ze zou toch mee mogen als Karin weer naar haar tante Kitty ging? Dat had Karins moeder vorige week zelf nog gezegd. En nu is Karin gisteren alleen naar Kyra gegaan. Zonder dat ze het zelf merkt, gaat Marileen wat langzamer lopen.
Algauw krijgt ze een por van Karin. 'Hé, loop eens een beetje door. De school begint al over tien minuten.'
Marileen knikt om te laten zien dat ze het gehoord heeft en gaat wat sneller lopen.
'Ja', vertelt Karin verder, 'we zijn gisteravond geweest. Papa en ik, onverwacht. Maar donderdag uit school ga ik er weer met mijn moeder heen, samen met jou natuurlijk. Dan kun je toch wel?'
Marileen voelt zich opeens een stuk blijer worden. 'Ja hoor', zegt ze, 'morgen moeten onze werkstukken toch ingeleverd zijn. Ik heb 't al af. Heb jij je werkstuk al af?'
'Bijna. Ik moet nog één hoofdstuk. Eigenlijk zoek ik nog een plaatje van twee cavia's bij elkaar...'
'O, die heb ik wel', zegt Marileen. 'Ik heb thuis een heleboel tijdschriften met dierenplaatjes erin. Ook van cavia's. Je mag wel een paar tijdschriften van me lenen.'
'Om er plaatjes uit te knippen, bedoel je?' vraagt Karin verbaasd. 'Weet je dat zeker?'
'Ja hoor', antwoordt Marileen, 'dat mag best. Ik heb zoveel tijd-

schriften. Die krijg ik van de buren. Die gaven hun oude tijdschriften eerst aan de vorige bewoners van ons huis en nu krijg ik ze.
Ongeveer eens in de twee weken komen ze een stapeltje brengen.
Aardig hè? Ik heb er al een heleboel. Ga uit school maar met mij
mee. Dan kun je zelf kiezen welke plaatjes je allemaal wilt hebben.'
'Graag', zegt Karin blij. 'Ik moet het tussen de middag nog wel
even aan mijn moeder vragen, maar die vindt het vast goed.'

Druk pratend lopen Karin en Marileen 's middags naar Marileens
huis. 'Mijn moeder komt pas om vijf uur thuis en mijn broer
meestal een uur eerder', vertelt Marileen, 'dus we zijn een poosje
alleen thuis. Dat vind je toch niet erg?'
'Nee hoor, bij mij is soms alleen mijn moeder thuis als ik uit
school kom. Jouw broer heet Dennis, hè?' vraagt Karin verder, 'is
hij wel aardig?'
'Soms wel, soms niet', antwoordt Marileen. 'Kijk, in deze straat
woon ik. Op nummer vierentachtig.'

Nieuwsgierig kijkt Karin de kamer rond. 'Wat ruikt het nog lekker
nieuw. Hoe lang wonen jullie hier nu al?'
'Ongeveer drie maanden', antwoordt Marileen. 'Ons vorige huis
was veel ouder. Maar ook veel gezelliger, vind ik. Wil je er straks
foto's van zien?'
'Ja. Maar eerst wil ik plaatjes van cavia's uitzoeken. Anders vergeet
ik ze misschien. En ik wil natuurlijk jouw kamer zien.'
'Nu meteen?'
'Nu meteen.'
'Dan gaan we nu meteen', zegt Marileen. 'Kom op, naar boven.'

'Ach, wat een lieve beer', is het eerste wat Karin zegt als ze in Marileens kamer is. 'En wat heeft hij een leuk stoeltje.'
'Ja hè? Zelf gemaakt. Kijk.' Trots laat Marileen de achterkant van

Bubbels stoeltje zien. 'Hier kun je goed zien dat het eerst een gewone doos was.'

'Ja zeg, wat knap', zegt Karin bewonderend, 'heb je nog meer dingen zelf gemaakt?'

Marileen schudt haar hoofd. 'Nee, maar dat ben ik nog wel van plan. Hoe vind je verder mijn kamer?'

'Gezellig', antwoordt Karin, 'alleen mis ik nog posters. Of mag je die niet ophangen van je ouders?'

O, jawel hoor, maar ik weet nog geen leuke. Op mijn vorige kamer had ik een grote poster van een tennisser hangen. Schuin boven mijn bed... Ik had vroeger ook een schuin dak in mijn kamer. Wacht, ik heb er nog foto's van.'

Marileen loopt naar de kast en haalt er een dikke envelop uit. 'Hier zitten de foto's in, ik moet er nog steeds een heleboel inplakken.'

'O, dat heb ik ook', zegt Karin, 'ik plak ze ook altijd pas veel later in. Maar laat ze eens zien, de foto's van je vorige huis.'

'En de caviaplaatjes dan?' vraagt Marileen.

'Daar kijken we straks wel naar', antwoordt Karin, 'je hebt me nu veel te nieuwsgierig gemaakt.'

Lachend haalt Marileen de foto's uit de envelop. 'Kom, dan gaan we ze samen op het bed bekijken. Deze zijn van onze vorige vakan-tie. Toen waren we in Frankrijk. Ben jij daar wel eens geweest?'

Karin schudt haar hoofd. 'Nee.' Ze wijst naar de foto. 'Zijn dat je vader en moeder?'

'Ja', antwoordt Marileen. 'Toen hadden we een heel eind gewan-deld. Mijn vader dacht dat hij de weg wist, maar...'

Opeens stormt Dennis haar kamer binnen.

'Verrader!' roept hij tegen Marileen, 'kon je je mond niet houden over vorige week woensdagmiddag? Nou ben ik er ook bij. Net als Ralph en Jeroen. En dat is jouw schuld.'

Met grote, wilde ogen kijkt hij van Karin naar Marileen. 'Het is dat er nu iemand bij is, want anders...'

'Wat, wat bedoel je?' stottert Marileen, 'wat heb ik gedaan?'

'Dat zul jij niet weten', schampert Dennis. Hij wacht even en schreeuwt dan: 'Je hebt mij verraden!'

'Waarmee dan?' Marileen huilt nu bijna.

'Dat gaat verder niemand wat aan. Maar jij bent nog niet van mij af, zusje. Als je dat maar weet!' Met grote stappen loopt Dennis haar kamer uit. Als de deur weer dicht is, blijft het een lange tijd stil.

'Nou, nou', zegt Karin na een poosje als eerste, 'ik dacht dat mijn broer Frank een grote pestkop was, maar jouw broer kan er ook wat van, zeg! Wat een flaporen heeft hij trouwens. Doet hij altijd zo?'

'Ik heb Dennis niet verraden', zegt Marileen met schorre stem, 'ik heb juist niets gedaan, ik heb juist níets gedaan...'

Karin legt de envelop met foto's naast zich neer en slaat daarna troostend een arm om Marileen heen.

'Natuurlijk heb jij niets gedaan. Je denkt toch zeker niet dat ik hem geloof? En trouwens, vorige week woensdagmiddag ben je met mij mee geweest naar Kyra. Weet je nog wel? Dus je kunt niets gedaan hebben. Maar zo te horen, heeft jouw broer wel iets gedaan.'

Langzaam schudt Marileen haar hoofd. Ze wil een heleboel zeggen, maar het lijkt wel of de woorden niet omhoog willen komen. Opeens voelt ze allemaal tranen over haar wangen naar beneden glijden.

'Het gaat wel weer', zegt Marileen na een poosje. Ze veegt met een mouw van haar trui over haar gezicht. 'Ik zal de tijdschriften voor de caviaplaatjes even pakken.'

Marileen loopt naar de kast waar onderin alle tijdschriften opgestapeld liggen.

'Ik pest mijn broer altijd terug', zegt Karin, 'soms helpt dat. Doe jij dat ook: terugpesten?'

'Nee.' Marileen pakt een stapel tijdschriften uit de kast en loopt hier mee terug naar Karin. 'Hier, neem deze hele stapel maar mee naar huis. Kijk maar wat je ervan kunt gebruiken. Als er niet genoeg plaatjes in staan, heb ik nog wel meer tijdschriften voor je.'

'Bedankt', zegt Karin. Ze staat op.

'Je hoeft nog niet meteen weg', zegt Marileen, 'liever niet zelfs', zegt ze er zenuwachtig lachend achteraan. 'Wil je blijven tot mijn moeder thuis is?'

'Ja hoor', antwoordt Karin, terwijl ze de tijdschriften op het bureau legt. 'Mag ik dan jouw werkstuk alvast zien? Misschien krijg ik nog een heel goed idee voor het laatste hoofdstuk.'

Terwijl Karin aandachtig het werkstuk doorbladert, hoort Marileen steeds hetzelfde zinnetje in haar hoofd: Dennis is een dief. Dennis is een dief. Dennis is een dief.

'Ik geloof dat ik beneden de buitendeur hoor dichtslaan', zegt Karin, 'kan dat je moeder zijn?'

'Ik denk het wel', zegt Marileen, 'laten we maar even gaan kijken. Dan nemen we meteen iets te drinken. Ik heb dorst. En jij?'

'Ik lust ook wel iets.'

Aarzelend pakt Karin de stapel tijdschriften van het bureau. 'Als je moeder thuis is, wil ik daarna naar huis. Heb je een plastic tas om de tijdschriften in te doen?'

'Beneden', antwoordt Marileen. 'Wacht maar. Geef mij er ook maar een paar. Dat draagt makkelijker.'

Beneden pakt Marileen een plastic tas uit de gangkast. 'Het klopt, mijn moeder is thuis', zegt ze tegen Karin, 'ik zie haar jas aan de kapstok hangen.'

Met een handige beweging stopt Marileen de tijdschriften in de tas. 'Ik hang de tas wel bij je jas, dan kun je 'm straks niet vergeten. En nu drinken. Wat wil je: iets mét prik of iets zonder prik?'

'Iets zonder prik, graag', antwoordt Karin.

Marileen opent de deur naar de keuken. Verbaasd kijkt ze rond:

anders is moeder op dit tijdstip altijd bezig in de keuken. En nu
niet. Wat raar. Misschien is ze naar de buren gegaan? Marileen
schenkt twee glazen appelsap in en geeft er één aan Karin.
'Dat was lekker', zegt Karin even later, 'en nu ga ik naar huis. We
moeten al bijna eten.'
'Wij ook', zegt Marileen, 'ik zal even kijken of mijn moeder in de
kamer is, dan kun je haar nog gedag zeggen.'
Karin knikt. 'Dat is goed, dan doe ik vast mijn jas aan.'
Moeder zit op de bank in de kamer. Zodra ze Marileen ziet, begint
ze te huilen.
'Mam...' zegt ze aarzelend. Maar wat moet ze zeggen? Wat moet ze
doen? Karin mag niet zien dat haar moeder huilt.
'Eh, mijn vriendin Karin is er', zegt ze, 'ze gaat nu naar huis, ik
kom zo weer terug.'
Voordat moeder iets kan zeggen, is Marileen de kamer alweer uit.
'En?' vraagt Karin als Marileen terugkomt in de gang.
'Eh, mijn moeder is er niet', antwoordt Marileen, 'niet in de
kamer, bedoel ik. Ik denk dat ze even naar de buren is. Iets lenen,
dat doet ze wel vaker.'
'Mijn moeder ook', zegt Karin. 'Jammer. Dan zie ik haar een vol-
gende keer wel. Maar nu ga ik heel snel naar huis. Mét de tijd-
schriften. Alvast bedankt voor het lenen en tot morgen.'
'Ja, tot morgen.'
Langzaam sluit Marileen de deur. En nog langzamer loopt ze terug
naar de kamer.
Moeder huilt nog steeds.
Er is vast iets heel ergs gebeurd.

12 Bureau Halt

'Hier ben ik weer', zegt Marileen zacht.

Met betraande ogen kijkt moeder op. 'Zo erg, zo erg', snikt ze. Ze draait haar hoofd weg van Marileen, net of ze zich schaamt.

Marileen weet niet goed wat ze moet doen: blijven of juist weggaan? Het is verder ook zo akelig stil in huis. Ze hoort alleen het snikken van moeder.

Hulpeloos kijkt Marileen rond. Zal moeder het erg vinden als ze naar boven gaat? Net als Marileen besluit om aan tafel wat te gaan zitten lezen, komt vader thuis. Als groet steekt hij zijn hand op naar Marileen. Daarna loopt hij regelrecht naar moeder, die nog steeds zachtjes huilt.

Zonder te lezen wat er staat, bladert ze in de nieuwe televisiegids. Anders zit ze om deze tijd ook aan tafel, maar dan om te eten. Op de achtergrond hoort ze moeder een paar keer hard snikken. Ze praten over Dennis.

Na een poosje staat moeder op van de bank, ze gaat naar de keuken. 'We moeten straks toch eten', zegt ze verontschuldigend. Ze huilt nu gelukkig niet meer.

'Jij snapt er natuurlijk niets van', zegt vader tegen Marileen.

Marileen schudt haar hoofd. 'Niet echt.'

En dat is ook zo. Marileen snapt het wel een beetje, maar ze weet niet wat er nu precies gebeurd is.

'Kom maar eens hier', zegt vader, 'dan zal ik het proberen te vertellen.'

Langzaam loopt Marileen naar de bank. Het lijkt wel of haar benen opeens veel zwaarder voelen dan anders. Met bonkend hart gaat ze naast haar vader zitten. Ze is bang om te horen wat vader gaat vertellen. Hoe meer vader vertelt, hoe meer Marileens hart gaat bonken.

'Het is waar, het is waar, het is waar', bonkt in haar hoofd een stemmetje mee. Vaders stem komt nu van heel ver...

'...heel erg geschrokken. Maar we hopen dat Dennis leert van Bureau Halt.'

'Bureau Halt? Wat is dat?'

Verbaasd kijkt Marileen omhoog, ze voelt iets nats over haar gezicht glijden. Tranen, ze huilt!

'Bij Bureau Halt geven ze straffen aan kinderen die iets strafbaars hebben gedaan en opgepakt zijn door de politie', legt vader uit. 'Deze kinderen kunnen dan kiezen: óf doorgestuurd worden naar de rechter óf naar Bureau Halt. De rechter geeft je ook straf, maar dan schrijven ze ook op dat je iets fout hebt gedaan. Een strafblad heet dat. En dat blijft altijd bestaan. Zo kun je een slechte naam krijgen... Bij Bureau Halt krijgt Dennis geen strafblad. Wel krijgt hij daar de kans om goed te maken, wat hij fout heeft gedaan. Dat kan op verschillende manieren: door de schade terug te betalen, door schoon te maken, door een paar uur te gaan werken bij degene bij wie ze iets gestolen hebben... Veel kinderen leren hiervan en doen minder snel nog een keer iets strafbaars. Morgen moeten we samen met Dennis naar Bureau Halt voor een eerste gesprek... Dat die jongen ook zo stom is geweest!'

Vaders stem klinkt nu kwaad. Hij kijkt Marileen ook niet meer aan, maar staart voor zich uit. Opnieuw is het akelig stil in huis. Totdat er vanuit de keuken opeens het geluid van een vallend deksel te horen is.

'Ik ga de tafel dekken', zegt Marileen.

Ook tijdens het eten is alles anders dan anders. Moeder, die telkens zenuwachtig huilt. Dennis, die met een strakke, verbeten mond aan tafel zit. En vader... vader, die heel weinig zegt. Marileen zegt ook niet veel. Het is een vreemde maaltijd. Stil. Het enige geluid is het tikken van het bestek op de borden. Geen grapjes van vader, geen gehaast van moeder, geen geplaag van Dennis.

'Naar boven jij', zijn de enige woorden van vader tegen Dennis na het eten.

Tijdens het afwassen even later zegt moeder nog steeds niets. Wel huilt ze soms.

Als een domme robot droogt Marileen af: zonder praten, zonder nadenken. Boven klinkt een paar keer heel hard vaders stem. Dan begint moeder opeens te praten.

'Je vader is ook zo in je broer teleurgesteld... Maar wie is dat niet? Wie had ooit gedacht dat Dennis zoiets zou kunnen doen? Niemand toch?'

Marileen knikt, al weet ze zelf niet waarom.

'En de schánde, de schánde!' zegt moeder hoofdschuddend. 'Ik hoop dat je begrijpt dat niemand hiervan hoeft te weten. 't Is toch al erg genoeg.'

Zwijgend gaat Marileen door met afdrogen. Dit keer is ze blij dat het een grote vaat is. Zo voelt ze zich tenminste niet zo hulpeloos. Ze kijkt schuin omhoog, naar moeder. Zou ze het vragen: heeft Dennis nog iets over mij gezegd? Over dat ik hem verraden zou hebben? Maar nee, ze doet het toch maar niet...

13 Dennis is een dief

'Allebei een acht voor dictee. Daar ben ik best blij mee. En jij?'
Vragend kijkt Karin opzij naar Marileen. Bijna tegelijk stappen ze
door de buitendeur het schoolplein op.
'En jij?' vraagt Karin nog een keer als Marileen geen antwoord
geeft.
'Eh, wat zei je?' vraagt Marileen.
Het lijkt alsof er een glazen muur tussen de woorden en Marileen
staat. Ze ziet de woorden wel, maar ze hoort ze niet goed.
'Ik zei dat ik best blij ben met een acht voor dictee', herhaalt Karin
nu harder, 'en jij?'
'O, ja hoor', antwoordt Marileen, 'ik vind een acht prima.' Een
zeven had ik ook prima gevonden, denkt ze erachteraan. En een
vijf of een vier ook. Alles vindt Marileen prima, zolang ze maar
niet hoeft na te denken over dat ene...
'Au!' Geschrokken voelt Marileen aan haar arm.
'Sorry voor mijn stomp', zegt Karin, 'maar ik heb je al twee keer
gevraagd of je morgen nog meegaat.'
'Meegaat?' herhaalt Marileen langzaam, 'waarheen?' Ze heeft geen
idee waar Karin het over heeft.
'Naar Kyra. Dat hebben we toch afgesproken gisteren?'
Gisteren...
'Ik hoor het morgenochtend wel van je', zegt Karin. 'Nu moet ik
naar Michelle. Ze staat al bij het schoolhek op me te wachten.'
'Ja, morgenochtend', zegt Marileen.

Gisteren...
Wás het nog maar gisteren, denkt Marileen als ze alleen verder-
loopt. Gisteren, wat lijkt dat opeens lang geleden.

Vanmiddag moet Dennis meteen uit school naar Bureau Halt, samen met vader en moeder.

Dan kan ik rustig een praatbriefje schrijven, bedenkt Marileen. Een praatbriefje voor Dennis.

Gisteren wilde hij het niet geloven dat zij hem niet verraden heeft. Hij wilde niet eens naar haar luisteren! Daarom wil Marileen het nog eens rustig opschrijven. Ze hééft Dennis niet verraden! Juist niet, juist niet! Misschien dat Dennis haar gelooft als ze hem alles nog eens rustig vertelt?

's Avonds na het eten gaat Marileen naar buiten. Ze loopt direct in de richting van het speeltuintje.

Dennis zal ze nu niet zien onderweg... Die moest direct na het eten weer naar boven.

'Denk daar nog maar eens goed over je zonden na', had vader gezegd.

Zonder commentaar was Dennis naar boven gelopen. Wel had hij nog even heel dreigend naar Marileen gekeken.

Als alternatieve straf moet Dennis het magazijn van Blom's Geschenkenhuis gaan schoonmaken, weet Marileen nu. Samen met Ralph en Jeroen en de andere twee jongens. Over een paar dagen weet Dennis hoeveel uren hij er moet gaan werken. Dan heeft hij een tweede gesprek. Ook moeten de vijf jongens met elkaar de schade vergoeden van wat ze gestolen hebben. Een volgende keer kan de politie Dennis doorsturen naar de rechter, heeft vader verteld. Dan krijgt hij een strafblad.

En dat is veel erger! vindt Marileen, want dan is Dennis echt een dief. Dat is hij nu natuurlijk ook wel, maar toch anders. Omdat hij door Bureau Halt anders gestraft wordt.

Hij hoeft nu niet naar de gevangenis en hij hoeft ook geen vinger-afdrukken te laten maken. Dat lijkt Marileen zo erg! Aan vingeraf-drukken kunnen ze over de hele wereld iemand herkennen. Als er ergens ingebroken is of als er iemand vermoord is, zoeken ze altijd eerst naar vingerafdrukken. En als die dan kloppen met de vingerafdrukken van iemand die al een keer in de gevangenis heeft gezeten... Brrr, het lijkt Marileen doodeng om vingerafdrukken te moeten laten maken. Stel je voor dat die van haar precies lijken op die van een moordenaar... Dan kan zij gearresteerd worden voor iets wat ze helemaal niet gedaan heeft! En niemand gelooft haar dan natuurlijk. Omdat de vingerafdrukken kloppen. En dat is een bewijs.

Nee, Marileen is blij dat Dennis nu nog geen strafblad heeft gekregen. En als hij ook niet meer zo stom doet, dan...

'Hoe-hoi, Marileen!'

Verrast kijkt Marileen op: dat kan alleen Anne zijn, die haar zo roept.

Er zijn veel kinderen in het speeltuintje, ziet Marileen.

Anne is bij het klimhuisje. Samen met haar moeder en haar kleine broertje, die in de wandelwagen zit. Marileen twijfelt. Met Anne spelen is wel leuk. Maar met de buurvrouw praten is niet leuk. Ze vráágt altijd zo veel en als ze dat nu weer doet? Dan weet ik niks, besluit Marileen. Dat heb ik ook aan mama beloofd.

'Ik ben vanmiddag met Peter mee geweest naar de dokter', vertelt Anne als Marileen bij het klimhuisje is. 'Niet bij de echte dokter, hoor, maar bij de peuterdokter. Peter moest een prik. Eerst wilde hij huilen, maar toen zei ik dat het helemaal niet zeer deed. En toen huilde hij niet, hè mam?'

'Nee', glimlacht haar moeder, 'toen huilde hij niet. Maar hij huilde wel toen...'

'O ja', vertelt Anne verder, 'de dokter heeft ook nog in zijn keel gekeken en in zijn oren. Toen huilde hij wel. En dat doet juist helemaal niet zeer. Raar hè?'

Plagend kietelt Anne haar broertje even over zijn buik. 'Rare Petertje.'

'Ik ben niet raar', zegt Peter. 'Ik ben lief.'

Marileen schiet in de lach. 'Ja hoor, Peter. Jij bent lief.'

'Zo is het maar net', lacht de buurvrouw nu ook, 'en deze lieve Peter ga ik nu naar bed brengen. En Anne, jij komt over een half-uurtje naar huis?'

'Dan al?' vraagt Anne met een pruillip. 'Marileen mag altijd veel later naar bed.'

'Marileen is ook ouder. Om halfacht thuis zijn. Afgesproken?'

Anne knikt dat ze het begrepen heeft en trekt daarna Marileen aan haar arm. Ze wijst naar de wip. 'Als we snel zijn, kunnen we erop. Bas en Jordi zijn er net vanaf.'

Ze rennen naar de wip en zijn er net iets eerder dan twee andere kinderen. 'Goed hè?' glundert Anne, 'net op tijd.'

'Ja', zegt Marileen, 'net op tijd.'

Hoog boven op de wip denkt Marileen hier nog even over na. Net op tijd om haar broer te zien stelen. Maar ook: net op tijd om door Dennis gezien te worden!

'Houd je vast!' roept Marileen waarschuwend naar Anne, 'dan ga ik een paar keer heel hard bonken. Dat vind je toch zo leuk?'

'Ja', roept Anne, 'hard bonken!'

14 Jij hebt mij verraden!

Marileen gaat tegelijk met Anne naar huis. Gelukkig, papa is niet weg vanavond. Ze ziet de auto voor de deur staan. Zou hij nu boven zijn, bij Dennis?
Samen met Anne loopt ze achterom de steeg in.
'Mooi op tijd', zegt Marileen, 'precies halfacht.'
'Ik hoef nu nog niet meteen naar bed hoor', zegt Anne. 'Petertje wel. Die ligt allang, maar ik mag nog even opblijven. Tot acht uur. En jij? Hoe laat ga jij altijd naar bed?'
'O, heel laat', lacht Marileen. 'Ik mag altijd opblijven tot ik naar bed toe ga.'
'Oh, wat laat!'
'Ga nu maar gauw naar binnen', lacht Marileen, 'anders is je opblijftijd op.'
Snel holt Anne nu naar huis. Bij de deur draait ze zich nog één keer om. 'Dag', roept ze.
'Dag', roept Marileen terug.
Daarna loopt ze verder, naar huis.
Vader en moeder zitten samen op de bank. Ze kijken naar het journaal. Marileen ziet aan moeders gezicht dat ze weer gehuild heeft. En vader ziet er ook niet vrolijk uit.
'Ik ga naar boven', zegt Marileen.
Even later zit ze op haar kamer. Zoekend kijkt ze rond: ze weet niet goed wat ze moet doen. 'Daar zitten we dan te zitten', zegt ze tegen Bubbel, 'heb jij misschien een goed idee?'
Ze kijkt haar kamer nog een keer rond, langzamer dit keer.
'Opruimen? Ja, dat lijkt mij wel een goed idee.' Ze begint met het oprapen van de knipresten van haar werkstuk. Ze liggen overal: op de grond, op haar bureau en zelfs ook nog op haar bed. Even later

zijn alle papiersnippers opgeruimd en zit de prullenbak tot de rand toe vol.

Op de grond liggen nog een paar vuile sokken. Naar de badkamer ermee.

'Zo, dat ziet er al heel wat beter uit', zegt ze als ze weer terugkomt op haar kamer. 'Wat nu?'

Ze gaat gezellig naast Bubbel op haar bed zitten. 'Eigenlijk zou ik wel weer een poster op mijn kamer willen hebben. Ik denk dat ik er eentje voor mijn verjaardag ga vragen. Wat denk je: wat zal hier leuk staan? Wacht, ik pak een paar tijdschriften. Misschien komen we dan wel op een goed idee.'

Al heel gauw stopt Marileen met zoeken. Het lukt niet. Het lúkt gewoon niet. Ze kán niet aan gewone dingen denken, terwijl...

Opeens staat ze op van bed. Ze loopt een paar keer heen en weer. Daarna gaat ze achter haar bureau zitten. Ze begint te schrijven, te schrijven...

'Ik heb je wel gehoord hoor, zusje.'

Even schrikt Marileen van Dennis' stem, maar dat duurt niet lang. Ze weet dat ze maar hoeft te kikken, en haar ouders komen naar boven.

'Nou en?' zegt ze, 'wat zou dat, dat je mij gehoord hebt?'

Heel rustig legt Marileen haar pen neer. Ze schuift tegelijk een tijdschrift over het blad papier waarop ze bezig was met schrijven.

'Denk maar niet dat je er zo gemakkelijk van afkomt', zegt Dennis dreigend.

'Waar vanaf?' vraagt Marileen niet-begrijpend.

'Dat je mij verraden hebt, sproetenkop!'

'Ik héb je niet verraden. Hoe vaak moet ik je dat nog zeggen?'

'Je liegt! Iemand heeft mij verraden. En dat kan alleen jij geweest zijn.'

'O ja?' vraagt Marileen met dichtgeknepen stem.

'Ja.'

Marileen weet niets meer te zeggen. Ze kán het ook niet meer. Ze
is verdrietig en boos tegelijk. Waarom gelooft Dennis haar nu niet
gewoon? Als ze gewild had, had ze hem al veel eerder kunnen
verraden. Dat zou ze hem nu natuurlijk kunnen vertellen. Maar
dan wordt hij misschien nog bozer. Maar als ze nu... Wacht eens.
Heeft Dennis niet zelf verteld dat Ralph en Jeroen al eerder opgepakt waren. Zouden die hem dan niet...?
'En Ralph en Jeroen dan? Die kunnen jou toch ook verraden hebben?'

'Nee! Dat doen ze niet. Dat zijn mijn vrienden. En vrienden verraden elkaar niet. Jij hebt het gedaan. Jíj', benadrukt Dennis nog eens. 'Alleen jij kunt het gedaan hebben. En daar zul je voor boeten. Wacht maar, je bent nog niet van mij af.'

Net zo onverwacht als Dennis in haar kamer stond, is hij ook weer verdwenen.

Marileen kijkt lang naar de dichte deur. 'En ik ben jouw zusje', zegt ze, net alsof Dennis haar nog kan horen. 'En zusjes verraden hun broer ook niet.'

15 Het verlanglijstje

Een paar weken later lijkt bijna alles weer net als vroeger. Alleen is Dennis nu veel meer thuis. 's Avonds mag hij niet meer naar buiten en 's middags uit school moet hij direct naar huis. Behalve natuurlijk als hij bij Blom's Geschenkenhuis het magazijn moet schoonmaken. Bij elkaar moet hij er twintig uren werken. Dennis vertelt thuis niet veel over het werk dat hij in het magazijn moet doen.
'Gewoon, schoonmaken', antwoordt hij als vader of moeder hem ernaar vraagt.
Soms kijkt hij dan even dreigend naar Marileen.

'Eh, Marileen', begint moeder 's avonds, 'over twee weken ben je jarig. Eh, we hebben het toen over een slaapfeest gehad. Maar ik weet niet of...'
'Ik wil liever geen slaapfeest', zegt Marileen. 'Misschien volgend jaar. Ik wil liever alleen samen met Karin iets leuks doen voor mijn verjaardag.'
'Prima idee', zegt moeder. 'Ik twijfelde ook een beetje. Zoveel kinderen... Ik bedoel, nou ja, je weet niet wat ze zullen...'
'Marileen heeft toch gezegd dat ze geen slaapfeest wil dit jaar?' onderbreekt vader. 'Ze wil liever iets leuks doen met Karin. Nou, dat is dan toch geregeld?'
'Je hebt gelijk', zegt moeder, 'Karin, dat is toch het meisje dat hier was toen...?'
'Ja', antwoordt Marileen snel, 'ik ben ook al een paar keer bij haar thuis geweest. Ze is heel aardig, en ze heeft ook aardige ouders.'
Marileen twijfelt: zal ze over Kyra vertellen? Ze kijkt even opzij, naar Dennis. Dennis merkt het niet.

Hij merkt eigenlijk niets, hij eet alleen maar. Hij lijkt opeens zo zielig... Voor deze Dennis is ze niet bang.

'Ze krijgt over een paar weken een hond', vertelt Marileen verder, 'een pup. Heel lief is-tie.'

'Wie krijgt er een hond?' vraagt moeder verbaasd.

Marileen zucht, het is echt weer net als vroeger. 'Karin', antwoordt ze.

'Leuk voor haar', zegt moeder, 'eh... luister even allemaal, ik moet zo weer naar een vergadering. De laatste voor de vakantie en hopelijk ook de laatste vergadering waar ik naartoe moet. Ik heb definitief besloten om te bedanken als bestuurslid. Vanavond ga ik dat bekendmaken.'

'Goed van u, mam', zegt Marileen, 'want volgens mij had u het de laatste tijd wel erg druk.'

Moeder glimlacht. 'Veel te druk.'

'Ik vind dat wij als beloning vanavond met z'n drieën de afwas moeten doen', zegt vader tegen Marileen en Dennis, 'dan kan moeder zich in alle rust voorbereiden op haar laatste vergadering. En...'

'Ik kan niet', onderbreekt Dennis, 'ik moet werken.'

'Dan kun je altijd nog helpen met afruimen.' Vader knipoogt even naar Marileen, 'en wij kunnen tijdens de afwas meteen een gezellig plan maken voor je verjaardag. En misschien heb je ook nog een verlanglijstje?'

Marileen knikt. 'O ja. Ik weet een heleboel te vragen.'

'Fijn, dat is dan geregeld', zegt moeder opgelucht. Ze staat op. 'Dan ga ik mij nu maar eens voorbereiden op mijn afscheid als bestuurslid. Wat spullen van boven halen... O, en de was moet nog in de droger. En...'

De rest is niet meer te verstaan, moeder is de kamer al uit.

Zwijgend brengt Dennis een paar pannen naar de keuken.

'Hoe zit het met de schadevergoeding?' vraagt vader als Dennis de kamer weer binnenkomt. 'Heb je de eerste termijn al betaald?'

'Ja', antwoordt Dennis kortaf, 'gisteren. Ik ga. Anders kom ik te laat.'
'Uiterlijk halftien verwacht ik je weer thuis!' roept vader hem na.

Als moeder vertrokken is, beginnen Marileen en vader aan de afwas.
'Zo, en wat wil mijn grote dochter doen op haar verjaardag?' vraagt vader, terwijl hij de afwasteil vol water laat lopen.
Marileen aarzelt. Ze weet wel iets leuks, maar ze is bang dat anderen dat raar zullen vinden. Zuchtend pakt ze een theedoek.
'Ah, ik hoor het al', zegt vader plagend, 'jij wilt samen met Karin de afwas van de hele week doen. Eerst bij ons, dan bij Karin thuis, dan bij onze buren en bij de buren van Karin, en dan bij...'
Marileen schiet in de lach. Ze ziet het al voor zich.
'Nee hoor, ik wil iets heel anders. Iets wat veel leuker is.'
'Iets leukers dan afwassen?' zegt vader verbaasd. 'Dat kan bijna niet.'
'Jawel, dat kan wel.' Marileen wacht even en vertelt dan wat ze al lang wil. 'Ik wil graag een keertje samen met Karin naar de stad. Ergens een ijsje eten, zomaar in winkels rondkijken, misschien nog een patatje eten in de snackbar... Vindt u dat gek?'
'Nee hoor, dat vind ik niet gek', zegt vader. 'Je vond het vroeger ook altijd leuk om met mama naar de stad te gaan.'
'Dus het mag?' vraagt Marileen hoopvol.
'Van mij wel', zegt vader, 'maar ik weet natuurlijk niet wat je moeder ervan vindt. En Karin? Vindt zij het ook leuk, denk je?'
'Ja, juist!' zegt Marileen, 'Karin gaat wel eens samen met haar zus naar de stad. En dan doen ze altijd wel iets geks. Heel vaak met de roltrap op en neer, of een heleboel zonnebrillen en sjaaltjes passen zonder iets te kopen, of... Oeps.' Geschrokken houdt Marileen haar mond. 'Dat gaan wij allemaal niet doen hoor, wij gaan gewoon...'
'Als twee brave meisjes de stad in', vult vader lachend aan.
'Ja, zoiets.'

'Dat dacht ik wel', zegt vader. 'Maarre, ik heb slecht nieuws voor je.'

'Wat dan?' vraagt Marileen verschrikt.

'De afwas is klaar.'

'Dat is juist goed nieuws!' Marileen pakt snel het laatste kopje van het aanrecht. 'En nu heb ík goed nieuws: het afdrogen is ook klaar. Gaan we nu een spelletje kaarten?'

Vader droogt zijn handen af.

'Dat is goed', zegt hij, 'dan kun je meteen vertellen wat je allemaal op je verlanglijstje hebt staan. Ik denk een zonnebril, een sjaaltje, en...'

'Fout, fout! Allemaal fout!' roept Marileen. 'Ik haal boven even m'n lijstje. Begint u dan alvast met het uitdelen van de kaarten? Dan kunnen we lekker veel potjes doen.'

Marileen loopt regelrecht naar de stoel van Bubbel. 'Even je achterwerk optillen', zegt ze, terwijl ze het geheime laatje openschuift. Bovenop de praatbriefjes ligt haar verlanglijstje. Vanmiddag uit school heeft ze er nog een paar dingen bijgeschreven: gekleurde paperclips, een poster, een lijmstift en een leesboek. Helemaal bovenaan staat een draagbare spelletjescomputer. Die wil ze het liefst. Nee, dat is niet waar. Het allerliefste wil ze...

'Zal ik het opschrijven?' vraagt ze aan Bubbel.

'Ik schrijf het gewoon op', besluit Marileen het volgende moment, 'helemaal bovenaan. Dan weet iedereen direct wat ik het allerliefste wil hebben.'

'Hè, hè, ben je daar eindelijk?' zegt vader als Marileen weer beneden is. 'Ik heb al een potje gespeeld, en wat denk je? Ik heb gewonnen.'

Lachend gaat Marileen zitten. 'Dat kan helemaal niet. Hier, mijn verlanglijstje.'

'Ah, laat maar eens kijken.'

Gespannen probeert Marileen van vaders gezicht af te lezen wat

hij ervan vindt. Maar ze ziet niets bijzonders. Eindelijk legt vader
het briefje op tafel.
'Zo, zo. Dat is nogal wat', zegt hij bedachtzaam, 'en heel wat
anders dan zonnebrillen en sjaaltjes.'
Marileen knikt.
'Dus jij wilt een hond?' vraagt vader na een korte stilte.
Weer knikt Marileen. 'Heel graag.'
'Tja, daar hebben we het wel eens eerder met elkaar over gehad.
Weet je nog?'
'Ja', antwoordt Marileen, 'dat was vlak voordat we gingen verhuizen. En toen mocht het niet. Vooral van mama niet, omdat honden
rommel maken. Maar als ik een hond krijg, en die maakt rommel
in huis, dan wil ik dat best opruimen hoor.' Marileen gaat nu
sneller praten. 'Dat gaat Karin straks ook doen als ze een hondje
heeft. En ik zal hem ook elke dag eten geven en drie keer per dag
met hem gaan wandelen en...'
'Ho, ho, ho', zegt vader, 'rustig even. Mama heeft inderdaad gezegd dat honden soms rommel kunnen maken. Maar ze heeft ook
nog iets anders gezegd.'
Verbaasd kijkt Marileen op.
'O ja? Wat dan?'
'Dat het zielig is voor een hond om alleen thuis te moeten zitten.'
Opeens herinnert Marileen het zich weer.
'Niet alleen wij moeten het leuk vinden om een hond te hebben,
maar een hond zélf moet het ook naar zijn zin hebben', heeft
moeder een keer gezegd. 'En ik denk niet dat een hond het leuk
vindt om hele dagen alleen thuis te zitten', zei ze er nog achteraan.
Marileen vond het toen helemaal niet leuk om moeder over 'een
zielige hond' te horen praten. Ze wilde dat liever ook niet horen.
Omdat ze zo graag een hond wilde.
Marileen denkt aan Dino, de moederhond van Kyra. Die is heel blij
om mensen te zien...

'Het lijkt mij nu eigenlijk ook heel zielig voor een hond om alleen thuis te moeten zitten', zegt Marileen zacht. 'Daar had ik niet meer aan gedacht.'

'Dat geeft niet', zegt vader, 'maar je vertelde toch dat Karin binnenkort een hond krijgt?'

'Ja, precies een dag na mijn verjaardag. Een pup, Kyra, van een heel lieve moeder-labrador. Zij heeft zes jongen en die zijn allemaal zó lief. Ik heb ze al een paar keer gezien en ook vastgehouden. En als Karin over een paar weken haar hondje heeft, mag ik ook mee om met hem te wandelen. O nee, om met háár te wandelen. Kyra is een meisje, een teef.'

'Nou, nou', lacht vader, het lijkt wel of je een werkstuk over honden hebt gemaakt in plaats van over katten. Je weet er zoveel van. Maarre, ik denk dat je de bovenste wens van je verlanglijstje maar moet schrappen. En ik denk ook dat je maar lang vriendin met Karin moet blijven. En tja, welk cadeau wil je nu het liefst hebben voor je verjaardag?' Vader doet net of hij heel diep nadenkt. 'Ik weet het niet. Ik denk een mooie poster? Of misschien een nieuw berenbeeldje?'

'Dat weet u heus wel', zegt Marileen, 'en anders snapt mama mijn lijstje wel.'

'O, nou. Dat zullen we dan maar hopen.'

Lachend pakt vader het spel kaarten van tafel.

'Zullen we gaan kaarten? Dan kunnen we direct kijken wie hierbij de slimste is.'

'Ik natuurlijk', roept Marileen. 'Ik win bijna altijd.'

'Dat zullen we nog eens zien', zegt vader terwijl hij de kaarten uitdeelt.

16 Dennis de stille

De volgende dag gaat Marileen opgewekt naar school. Moeder hoeft voortaan niet meer naar vergaderingen en ze vindt het goed dat Marileen een 'stadpartijtje' houdt voor haar verjaardag. Marileen hoopt dat Karin volgende week zaterdag al kan.

Eigenlijk wilde Marileen liever een week later met Karin naar de stad. Na haar verjaardag. Maar volgens haar vader zou dat voor Karin wel eens moeilijk kunnen zijn. Omdat ze dan voor Kyra moet zorgen. Marileen denkt dat vader gelijk heeft en ze vindt het eigenlijk ook veel leuker nu.

Volgende week zaterdag het partijtje, daarna op woensdag jarig en donderdag misschien met Karin mee om Kyra op te halen...

Zo heeft ze toch een heleboel leuke dagen achter elkaar. Daarna komen er nog veel meer leuke dagen: samen met Karin Kyra uitlaten, met het hondje spelen en natuurlijk met de nieuwe spelletjescomputer spelen.

Gisteren deed vader net of hij haar niet snapte. Ze zal toch wel een spelletjescomputer krijgen? Natuurlijk wel, vader maakte vast een grapje. Vader maakt altijd grapjes. Zal ze van Dennis nog een cadeautje voor haar verjaardag krijgen? Vorig jaar had hij een stripboek voor haar gekocht. Toen was Dennis nog gewoon Dennis, haar grote broer. Maar na de basisschool is hij veranderd in Dennis de grote pestkop. En nu? Nu is hij wéér veranderd. Nu is hij Dennis de stille.

Als Marileen bijna bij school is, ziet ze aan de overkant van de straat Karin lopen. Snel steekt Marileen haar hand omhoog. 'Karin! Kom eens, ik wil je wat vragen.'

Nieuwsgierig komt Karin aanrennen. 'Wat is er?'

'Ik geef volgende week zaterdag mijn partijtje', begint Marileen enthousiast te vertellen, 'en ik vraag alleen jou. En weet je wat voor partijtje ik gekozen heb? Een stadpartijtje. Wij mogen zaterdag samen naar de stad, om te winkelen. We gaan er met de bus naartoe, en...'

'Wat leuk!' roept Karin, 'dat heb ik ook wel eens met mijn zus gedaan. Weet je wat leuk is? Om naar de Bijenkorf te gaan, daar hebben ze een heleboel roltrappen. En o, ik weet nóg iets leuks. Vlakbij de Bijenkorf is een winkeltje met allemaal aparte dingen... Wat wil je eigenlijk voor je verjaardag hebben?'

'Een heleboel', antwoordt Marileen, 'maar ik ben pas over twee weken jarig, hoor. Dan kom je toch ook 's middags?'

'Natuurlijk', antwoordt Karin, 'maar ik wil je volgende week zaterdag al iets geven. Anders is het geen echt partijtje.'

Marileen knikt. 'Zal ik morgen mijn verlanglijstje meenemen?'

'Dat is goed', antwoordt Karin. 'Wat leuk! Samen naar de stad... Als ik jarig ben, mag je ook op mijn partijtje komen. Maar ik weet niet wat ik ga doen. Ik ben ook nog lang niet jarig, eerst is mijn broer nog jarig... Hé, hoe is het eigenlijk met jouw broer? Doet hij nog steeds zo klierig? Ik heb hem al een tijdje niet meer gezien bij je thuis. Hij heeft het zeker druk op school?'

'Zoiets', antwoordt Marileen.

'Nou ja, lekker rustig toch?' lacht Karin.

'Ja', antwoordt Marileen. 'Lekker rustig.'

17 Het stadpartijtje

'Alvast gefeliciteerd met je elfde verjaardag, ook van de rest van mijn familie, en hier is je cadeautje. Alsjeblieft.'
'Dankjewel', zegt Marileen, terwijl ze naar het pakje in haar handen kijkt. Wat zou erin zitten?
'Maak nou open', zegt Karin ongeduldig. 'Ik ben zo benieuwd hoe je het vindt.'
Voorzichtig trekt Marileen de plakbandjes van het papier los.
Ze wil Karins cadeau liever niet beschadigen.
'Moet je een schaar hebben?' vraagt Karin, 'ligt er één op je bureau?'
Marileen schudt haar hoofd. 'Hoeft niet, het lukt al.'
Het volgende moment slaakt ze een kreet van verbazing. 'Oh, wat mooi. Wat mooi...'
Meer weet Marileen even niet te zeggen. Ontroerd kijkt ze naar de hond op de poster en voelt daarna voorzichtig over de bobbels.
Precies bij de kop van de hond voelt de poster dikker. Bij de neus en oren voelt hij nog dikker. Net als bij een echte hond. 'Wat lijkt hij echt', zegt Marileen verwonderd.
'Ja hè?' glundert Karin, 'dat komt door die bobbels.'
Marileen voelt over de neus, de ogen... 'En hij kijkt ook zo lief.'
'Dat vond ik ook', zegt Karin, 'en daarom heb ik deze uitgekozen.
Ze hadden nog een heleboel andere mooie posters. Ook met dieren. Maar deze vond ik zo lief kijken, bijna net zo lief als Kyra.'
Verrast kijkt Marileen op: precies hetzelfde had zij gedacht toen ze de poster zag.
'Na mijn verjaardag hang ik 'm op. Daar.' Marileen wijst op een stukje muur, recht boven haar bed.
Karin knikt goedkeurend. 'Een mooi plekje.'

Marileen voelt nog één keer over het hondje en legt daarna de poster op haar bureau. 'Zullen we naar beneden gaan? Nog wat drinken en daarna naar de stad?'
'Of je het nooit zou vragen', lacht Karin.

'En nu?' vraagt Marileen aan Karin als ze een uur later uit de bus stappen.
'Het is jouw partijtje', antwoordt Karin. 'Maar we zijn vlakbij de Bijenkorf. Zullen we daar eerst heengaan? En dan naar het winkeltje waarover ik je verteld heb?'
'Dat is goed', antwoordt Marileen. 'En daarna zien we wel verder.'
Opeens voelt Marileen dat ze bij haar arm gepakt wordt. 'Kom, we moeten hier oversteken', zegt Karin.
Even later staan ze bij het voetgangersstoplicht te wachten.
Het is al druk in de stad.

'Wat hebben we al veel gedaan, hè?' zegt Marileen. 'En we hebben nog lang niet alle winkels gezien!'

Karin schiet in de lach. 'Nou, als je hier alle winkels wilt zien, heb je wel een week nodig in plaats van een dag.'

'Dan moeten we hier maar blijven slapen', zegt Marileen droog.

'Wauw, dat zou pas gaaf zijn!' roept Karin uit, 'hier in een hotel blijven slapen... Niet in zo'n goedkoop één-sterrenhotel natuurlijk, maar minstens in een tien-sterrenhotel.'

'Bestaan die?' vraagt Marileen.

Karin haalt haar schouders op. 'Weet ik niet. Maar je denkt toch zeker niet dat ik met mijn kwetsbare rug op zo'n zachte bobbelmatras ga liggen?' gaat Karin op een gemaakt deftige toon verder, 'en ik wil elke ochtend vers geperste jus d'orange bij mijn ontbijt. En ook twaalf soorten jam en veertien verschillende soorten hagelslag. Ik houd namelijk nogal van afwisseling. O, en verder wil ik graag dat butler James het ontbijt op onze kamer komt brengen. Vanwege mijn kwetsbare rug, weet je nog wel? En jij, heb jij nog speciale wensen?'

Hoe graag Marileen ook zou willen, ze kán nu gewoon geen antwoord geven. Ze kan alleen maar gieren van het lachen...

Het lukt Karin nog heel even om haar lippen tot een deftig pruilmondje getuit te houden, maar dan begint ze hard mee te lachen met Marileen. Sommige mensen kijken verbaasd achterom, wat Marileen telkens opnieuw in de lach laat schieten.

'Hè, hè, wat moest ik lachen', zegt Marileen na een tijdje.

Karin knikt. 'Ja hè? Wat je al niet kunt beleven in de stad en nu hebben we er nog niet eens geslapen.'

'Hou op, hou op', lacht Marileen, 'mijn buik.'

Verbaasd kijkt Karin haar aan en tegelijk vormt ze weer een deftig pruilmondje met haar lippen.

'Ophouden? Waarom? Als jij zo'n last van je buik hebt, kun jij ook niet op een zachte bobbelmatras slapen.'

Opnieuw kan Marileen even niets zeggen...

'En nu lust ik wel een ijsje', zegt Marileen aan het eind van de middag, 'jij ook?'

'Lekker', antwoordt Karin. 'Daarna gaan we zeker weer naar huis?'

'Ja, want de winkels gaan ook al bijna dicht. Wacht, hier verkopen ze ijs. Wat voor ijsje wil je?'

Marileen wijst naar een bord dat buiten aan de muur hangt. Ze kiezen allebei hetzelfde ijs en lopen even later naar de bushalte.

'Ik vond het gezellig', zegt Karin als ze in de bus zitten.

'Ik ook', zegt Marileen, 'we zijn in veel winkels geweest, we hebben veel gezien en ik vond alles even leuk. Maar het meest heb ik nog gelachen, toen jij over het slapen in een hotel begon.'

'Toen ík erover begon?' doet Karin verbaasd, 'jíj begon erover.'

'Jawel, maar jij begon er van alles omheen te verzinnen', zegt Marileen, 'wat moest ik toen lachen...'

Karin knikt. 'Weet je wat ik het leukste vond? Toen die ene mevrouw in de rij bij de kassa van de Hema telkens achterom keek, omdat ze dacht dat we ruzie hadden. Ik geloof dat ze op het laatst gewoon medelijden met jou had.'

'Vind je het gek? Jij speelde het ook zo echt', lacht Marileen. 'De kassajuffrouw dacht ook al dat we echt ruzie hadden.'

'O ja?' proest Karin. 'Daar heb ik niets van gemerkt.'

'Nee, omdat jij het te druk had met ruziemaken.'

'Het was echt leuk om met jou samen naar de stad te gaan', zegt Karin nog eens, 'bijna nog leuker dan met mijn zus.'

Verrast kijkt Marileen op. 'Ik vond het ook leuk', zegt ze, 'ik vond het een stadpartijtje om nooit te vergeten.'

18 Een heitje voor een karweitje?

'Loop je met mij mee?' vraagt Karin een paar dagen later aan
Marileen. 'Dan kun je de spullen zien die we voor Kyra hebben
gekocht. Ik heb je vorige week toch verteld dat we nog een mand
zouden gaan kopen voor Kyra? Nou, dat hebben we gistermiddag
gedaan. En we hebben er meteen van alles bij gekocht. Een hals-
band, een etensbak, speelgoed... Wat doe je, ga je mee?'
Marileen denkt na. 'Dat kan ik wel doen', zegt ze. 'Bij ons is er toch
voorlopig niemand thuis. Mijn moeder is vandaag wel vroeg klaar
met werken, maar ze zou daarna boodschappen gaan doen voor
mijn verjaardag.'
'Dat is waar ook', zegt Karin. 'Morgen ben je jarig.'
Marileen bukt zich om haar schoenveter vast te maken. 'Wacht
even', roept ze tegen Karin. 'Je komt morgenmiddag toch nog wel?'
vraagt ze als ze weer naast Karin loopt.
'Natuurlijk', antwoordt Karin, 'maar zonder cadeautje, dat heb je
zaterdag al van mij gekregen. Was trouwens wel een leuk partijtje
zeg, zaterdag. Ik vraag aan mijn ouders of ik ook zo'n partijtje
mag. Maar dan met meer kinderen; dan kunnen we nog meer
lachen.'

Een uur later loopt Marileen alleen terug naar huis. Heel even had
ze zich jaloers gevoeld bij Karin thuis. Toen ze de hondenmand
zag en al die andere spulletjes voor Kyra. Maar toen dacht ze weer
aan de woorden van haar moeder. Dat het voor een hond niet leuk
is om hele dagen alleen te zitten. En haar moeder werkt nu eenmaal. Niet elke dag en ook geen hele dagen achter elkaar... Maar
toch wel veel, vindt Marileen. Te veel in ieder geval om een hond
in huis te hebben.

Marileen hoopt dat ze morgen een spelletjescomputer krijgt, dan kan ze daar samen met Karin mee spelen. Morgenmiddag gaat Karin direct al met haar mee naar huis. Misschien komt er 's middags nog meer verjaardagsvisite.

Vast wel, moeder haalt toch niet voor niets een heleboel boodschappen in huis? Zou ze ook een taart gekocht hebben? En...

Opeens gaat Marileen langzamer lopen.

Aan de overkant van de straat ziet ze Dennis, bij Blom's Geschenkenhuis. Hij is aan het vegen.

Zo te zien vindt hij het geen al te leuk werk. Er komen een paar jongens aanlopen. Ze wijzen naar Dennis en lachen.

'Hé, Dennis!' roept één van de jongens, 'ben je fijn een heitje voor een karweitje aan het doen?'

Dennis doet net of hij niets hoort. Wel gaat hij steeds harder vegen.

Een andere jongen slaat Dennis in het voorbijgaan even op zijn schouder. 'Lekker hè? Centjes verdienen... O nee! Jij verdient geen centjes, maar straf! Ha, ha!' Schaterend van het lachen lopen de jongens verder.

Heel even kijkt Dennis op en kijkt dan recht in de ogen van Marileen.

Marileen schrikt. Ze wil niet dat Dennis haar ziet. Bah! Boos op zichzelf, boos op Dennis en ook boos op die jongens loopt Marileen verder.

Er is niemand thuis, ziet Marileen als ze de deur opendoet. Meestal vindt ze het ongezellig als moeder nog niet thuis is, maar vandaag niet. Ze loopt meteen naar boven.

'Mama is vast een heleboel lekkere dingen aan het kopen', zegt ze tegen Bubbel. 'Ik kan bijna niet wachten tot morgen, maar dat zal toch moeten.' Tevreden kijkt ze haar kamer rond. Het cadeautje van Karin ligt nog steeds op haar bureau. Als morgen iedereen de poster gezien heeft, hangt ze 'm op. Gisteren heeft ze haar kamer opgeruimd, om ruimte te maken voor nieuwe dingen. Ze heeft een

heleboel spulletjes voor haar kamer gevraagd. Omdat er ook
boeken op haar verlanglijstje staan, heeft ze gisteren alle boeken
weer netjes in de kast gezet. Ze pakt er een boek uit en loopt
ermee naar haar bed. 'Het is misschien wel ongezellig', zegt ze
tegen Bubbel, 'maar ik moet toch wat doen.'

'Marileen, wil jij de tafel even komen dekken?' klinkt moeders
stem van beneden.
Geschrokken kijkt Marileen op haar horloge: ze zit al meer dan
een uur te lezen! Als ze beneden komt, ziet ze dat vader al thuis is.
Bijna tegelijk met Marileen komt ook Dennis in de kamer. Hij
loopt regelrecht naar zijn vader.
'Ik kap ermee', zegt hij kwaad. 'Ik moet alleen maar stomme
klussen doen, waar andere jongens mij om uitlachen. Ik ga er niet
meer naartoe.'
Rustig legt vader de krant opzij. 'Dat zou ik toch maar wel doen.
Anders maakt de politie alsnog proces-verbaal op en worden jouw
gegevens naar de officier van justitie gestuurd. En dat kan later
weer heel vervelend zijn, als je bijvoorbeeld een baan zoekt.'
Met een stuurs gezicht gaat Dennis zitten. 'Weet ik wel', zegt hij,
al minder kwaad dan daarnet, 'maar het is zulk rotwerk!'
'Tja', zegt vader, 'leuk is het niet. Maar dat is straf nooit.'
Dennis haalt zijn schouders op. 'Ik betaal alles toch terug?'
'Ja, dat is waar', zegt vader, 'en om het stelen af te leren, krijg je
strafwerk.'
Dennis gaat weer staan en loopt naar de deur. 'Dat vind ik maar
stom. Daar leer ik toch niks van? Ik word er alleen maar om uitge-
lachen!'
En weg is Dennis, de kamer uit.
'We gaan bijna eten!' roept moeder hem vanuit de keuken na.
'Ik hoef geen eten!' roept Dennis terug. Luid stampend gaat hij de
trap op.
Na het eten gaat Marileen ook weer naar boven. Dit keer loopt ze

niet direct naar haar eigen kamer. Ze klopt drie keer op de deur van Dennis en wacht tot hij 'binnen' roept. Verbaasd kijkt Dennis haar aan.

'Wat kom jij hier doen?'

'Ik wilde alleen zeggen dat ik het vanmiddag rot voor je vond', zegt Marileen. 'Dat de andere jongens je uitlachten, bedoel ik.'

'Dat zal wel', bromt Dennis.

Zonder verder op Marileen te letten, zet hij een cd op en gaat daarna aan zijn bureau zitten. 'Ik moet nog huiswerk maken, dus ophoepelen graag.'

Zwijgend kijkt Marileen naar de rug van haar broer. Ze hoopt dat Dennis achterom zal kijken en nog iets tegen haar zal zeggen. Maar dat doet hij niet. Ze wacht nog heel even en gaat daarna naar haar eigen kamer.

'Dennis. Ik vind het echt rot voor je dat je vanmiddag bent uitgelachen. En ik vind het nog rotter dat je zoveel moet werken. Maar wees blij dat je mag werken als straf! Dan weet later niemand meer dat je iets gestolen hebt... Daar ben ik tenminste wel blij om.'

'En morgen ben ik jarig', zegt Marileen als ze het praatbriefje heeft opgeborgen, 'en daar ben ik ook blij om.'

19 De verjaardag

De volgende dag is Marileen al vroeg wakker. Ze voelt zich anders
dan anders. 'Natuurlijk, ik ben nu elf jaar!' zegt ze tegen Bubbel.
'Je mag mij wel eens feliciteren.' Meteen neemt ze Bubbel bij haar
in bed en drukt de beer even stevig tegen zich aan. 'Bedankt, je
bent de eerste die mij feliciteert. En nu ga ik mij heel snel aankle-
den.'
Marileen zet Bubbel terug op het stoeltje en slaat daarna met een
grote zwaai de dekens opzij. Zal ze straks een spelletjescomputer
van papa en mama krijgen? En zal Dennis nog een cadeautje voor
haar hebben?
Vast wel. Ze is toch zijn zus? En vanmiddag, zal er dan nog visite
komen? In ieder geval Karin. O, en ze gaat natuurlijk nog trakte-
ren op school. Lekkere dropveters.

Even later houdt Marileen dolgelukkig een spelletjescomputer in
haar handen. Precies die ze graag wilde hebben. Met een dikke
zoen bedankt ze haar vader en moeder.
'Dank u wel, hier ben ik heel erg blij mee.'
'Er zitten batterijen bij', zegt vader, 'dan kun je 'm meteen probe-
ren.'
Dat laat Marileen zich geen twee keer zeggen. 'Kijk eens wat mooi',
zegt ze als er beelden op het schermpje verschijnen.
'Ik kijk vanavond wel', lacht vader, 'ik moet nu naar kantoor.
Misschien dat je moeder even wil kijken?'
'Eh, heel even dan', aarzelt moeder, 'eigenlijk moet ik bijna weg.'
Marileen legt uit wat de bedoeling is van het spel, en laat tegelijk
zien hoe alle knopjes werken.
'Hé, wat leuk', zegt moeder al snel, 'mag ik ook even?'

Verbaasd kijkt Marileen opzij. 'U moest toch bijna weg?'
'Eh... jawel', antwoordt moeder, 'maar jij bent maar één keer in
het jaar jarig. En dan mag ik best een paar minuutjes te laat
komen, vind ik. Eh, het poppetje is weg. Wat moet ik nu doen?'
'Overnieuw beginnen', schatert Marileen, 'u bent af.'
'Af? Hoe kan dat nou... Wat heb ik dan verkeerd gedaan?'
'Nou, u hebt..'
Middenin de zin houdt Marileen op. Er valt iets op haar schoot.
'Alsjeblieft. En gefeliciteerd', bromt Dennis.
'Dankjewel', zegt Marileen. Ze voelt dat ze een kleur krijgt: toch
nog een cadeau van Dennis!
Zenuwachtig haalt ze het papier van het pakje. 'Een leesboek!'
roept ze blij, 'bedankt.'
'Heb je 'm nog niet gelezen?' informeert moeder.
'Nee, daarom ben ik er ook zo blij mee. Ik heb een heleboel boeken
uit deze serie gelezen, en deze wil ik al een hele tijd graag hebben.'
'Gelukkig', zegt moeder, 'heb ik toch de goede meegenomen. Ja, ik
had je lijstje wel gelezen, maar niet meegenomen toen ik boodschappen ging doen. Stom hè?'
Marileen kijkt van moeder naar Dennis. Het blije gevoel van
daarnet is helemaal verdwenen. Dennis is duidelijk ook niet blij
met moeders opmerking. Met een nors gezicht pakt hij een boter-
ham van tafel.
'Ik ga naar school.'
'Moet je niet even naar de andere cadeautjes kijken?' vraagt
moeder verbaasd.
'Nee.'
Moeder haalt haar schouders op. 'Hij heeft zeker haast.' Ze kijkt op
haar horloge. 'Oei, is het alweer zo laat? Ik moet ook gaan. Vanmiddag ben ik vrij', zegt ze tegen Marileen, 'dan gaan we gezellig
verder jouw verjaardag vieren. En o', schiet het moeder nog te
binnen, 'je traktatie voor school ligt klaar op het aanrecht. Tot
vanmiddag!'

Beduusd kijkt Marileen naar de dichte deur. Eigenlijk had ze nog willen vragen of ze de spelletjescomputer op school mag laten zien. Nou ja, dat kan morgen ook nog wel. En wie weet wat ze vandaag allemaal nog meer krijgt!

's Avonds mag Marileen laat opblijven.
'En, vond je het vandaag een beetje gezellig?' vraagt vader haar bij het welterusten zeggen.
'Heel gezellig', antwoordt Marileen, 'en ik heb een heleboel gekregen. Maar het mooiste cadeautje vind ik nog steeds de spelletjescomputer. Oh oh, u zou vanavond nog kijken!'
'Dat is waar', lacht vader, 'dat heb ik vanochtend beloofd.'
'Even halen?' stelt Marileen voor.
'Tja, beloofd is beloofd...'
Marileen rent naar boven. Vanmiddag heeft ze al heel veel spelletjes met Karin samen gedaan. Ze zijn er allebei ongeveer even goed in.
'Ik ben benieuwd hoe goed vader is!' zegt ze tegen Bubbel.

Een halfuur later ligt Marileen op bed. Ze kan nog niet slapen. Ze heeft ook zoveel om over te denken! Opeens verlangt ze naar haar oude kamer, naar het kleine hokje bij het raam. Daar was het altijd zo lekker licht. Ze kan nu niet eens haar mooie hondenposter zien... Maar wacht eens: ze kan er natuurlijk wel aan voelen! Voorzichtig gaat Marileen met haar vingers over het bobbelige papier. Het voelt weer net echt...
'Ik noem je Rakker', fluistert ze, 'dan heb ik toch een eigen hondje.'
Na de spelletjescomputer vindt Marileen de poster het mooiste cadeautje. Vader kon er net niets van, beneden op haar spelletjescomputer. Zij en Karin zijn nog steeds de besten. Dennis wilde er niet op, zei hij... Misschien over een poosje wel?
Op school was het vanochtend ook leuk. En vanmiddag al die

visite... Al was dat niet echt gezellig. Bijna iedereen praatte tegen moeder. Maar ze heeft wel veel cadeautjes gekregen. En er was een grote taart met elf kaarsjes. Een slagroomtaart. Eerst vond Marileen het kinderachtig om de kaarsjes uit te blazen. Later niet meer. Ze heeft ook nog een wens gedaan. Niet hardop natuurlijk, maar binnenin haar hoofd. Alle kaarsjes waren in één keer uitgeblazen, dus wie weet?

'Het was een fijne verjaardag', zegt Marileen tegen Bubbel, 'welterusten.'

20 Kyra

'Ze voelt zich al echt thuis bij ons, vind je niet?'
Marileen knikt en kijkt weer naar Kyra. Het jonge hondje doet
telkens ook zulke grappige dingen! Meteen al toen ze binnenkwam
en Karin haar in een kartonnen doos wilde zetten. Dat wil Kyra
helemaal niet! Kyra wil lopen en aan dingen snuffelen. En overal
in bijten. Daarom mag ze ook nog niet in de hondenmand, die zou
ze stuk bijten. Marileen vond het eerst best zielig om Kyra bij de
moederhond weg te halen. Maar gelukkig zijn er nu nog twee pups
bij Dino. Die worden volgende week opgehaald. En volgens Karins
tante...
'Kijk dan!' roept Karin, 'nu snuffelt ze weer aan papa's sloffen. O,
en nu loopt ze weer naar de deur. Zou ze honger hebben, denk je?'
'Ik weet het niet', zegt Marileen, 'misschien is ze geschrokken van
de geur van de sloffen?'
'Ha, ha, dat is een goeie!' schatert Karin, 'die zal ik vanavond aan
papa vertellen!'
Marileen gaat staan. 'Ik ga maar eens naar huis.'
'Jammer', zegt Karin. 'Kom je volgende week ook weer met Kyra
spelen?'
'Weer direct na schooltijd?' vraagt Marileen.
'Ja, dan kunnen we tenminste lekker lang bij Kyra blijven.'
'Dat is goed. Dag Kyra.' Marileen geeft het hondje een aai over haar
hoofd en loopt daarna naar de gang.

Onderweg naar huis heeft Marileen al zin in volgende week woensdag: dan kan ze weer fijn naar Kyra! Sinds Karin haar vriendin is, is
alles veel fijner geworden. Ze doen samen leuke dingen. Op school
is het gezelliger. En thuis... Bij Karin thuis is het altijd gezellig.

Haar zus Ineke heeft ze nu twee keer gezien en haar broer Frank
één keer. Hij deed die ene keer heel gewoon tegen haar en Karin
trok hij even plagerig aan haar staartjes. Karin had hem toen
meteen een harde tik op zijn vingers gegeven.
'Zo doe je dat met vervelende jongetjes', had ze later tegen Marileen gezegd.
Karins ouders zijn allebei ook heel aardig. En Kyra... Nou ja, die is
gewoon hartstikke lief!

Marileen gaat langzamer lopen. Ze is nu vlakbij Blom's Geschenkenhuis. Vandaag hoeft Dennis er niet te werken. Zal hij hier later
nog gewoon boodschappen durven doen? vraagt Marileen zich
opeens af. Als zij Dennis was, zou zij hier nooit meer naar binnen
durven gaan! Ze zou het wel aan Dennis willen vragen. En hem
dan willen zeggen, dat zij voor hem in de plaats hier naartoe wil.
Als hij er iets zou willen kopen, natuurlijk. Ze kijkt nog een keer
achterom. Het lijkt zo'n gewone winkel: Blom's Geschenkenhuis.
Maar voor haar zal het nooit meer een gewone winkel zijn.

De volgende woensdag rennen Karin en Marileen het schoolge-
bouw uit. 'Zou ze al op mij zitten wachten?' vraagt Karin.
'Vast wel', zegt Marileen, 'Kyra weet toch dat jij haar baasje bent?
En honden houden nu eenmaal van hun baasjes.'
Karin knikt. 'Dat is waar. Zullen we een beetje doorlopen?'
'Dat doen we al', lacht Marileen, 'daarnet haalden we bijna een
fietser in.'
'Ik houd eerst de riem vast', zegt Karin als ze Kyra begroet hebben,
'en daarna mag jij. Goed?'
'Ja', antwoordt Marileen. 'En nemen we ook het balletje mee?'
Karin twijfelt. 'Ik weet niet of dat veilig is. Ik wil liever niet dat ze
wegloopt.'
'Als we naar het speeltuintje gaan, kan ze niet weglopen', zegt
Marileen. 'Daar staat een hek omheen.'

'Goed idee van jou', prijst Karin, 'want daar is toch ook nog een groot veld bij?'

'Ja, een heel groot speelveld.'

'We gaan naar de speeltuin', besluit Karin. 'Ik ga het balletje pakken. Roep jij Kyra?'

Onderweg let Marileen heel goed op hoe ze straks de riem moet vasthouden.

Ook kijkt ze of Karin elke keer stopt als Kyra ergens wil snuffelen. Gelukkig doet Karin dat niet, anders zouden ze bij elke boom even moeten stoppen.

'Wanneer mag ik haar nu vasthouden?' vraagt Marileen als ze ongeveer een kwartier gelopen hebben.

'Als we aan het eind van deze straat zijn', belooft Karin. 'Je moet wel de riem goed vasthouden, en ook goed opletten dat ze niet ergens te lang blijft snuffelen. Ze snuffelt veel, hè? Ik heb nooit gezien dat andere honden dat ook zoveel doen. Maar misschien komt Kyra wel uit een snuffelige familie... Dat zal ik toch nog eens vragen aan oom Karel en tante Kitty. Misschien als Kyra straks groter is, dan...'

Marileen geeft Karin een por.

'We zijn bij het einde van de straat. Mag ik nu?'

Veel te snel naar haar zin ziet Marileen even later dat ze alweer bijna bij het speeltuintje zijn. Jammer, ze vindt het juist zo leuk om met Kyra aan de riem te lopen. Het is rustig in het speeltuintje. Er is alleen een grote jongen. Maar, dat is toch Dennis?

Marileen herkent hem aan zijn jas. Wat moet Dennis daar?

Met zijn rug naar haar toe staat hij bij de schommel. Het lijkt wel alsof...

Hij wil de touwen doorsnijden!

Paniekerig kijkt Marileen om zich heen. Karin heeft gelukkig nog niets in de gaten; die kijkt bijna de hele tijd naar Kyra. Wat moet ze nu doen? Omkeren? Dan vraagt Karin wat er is. Doorlopen? Dan ziet Dennis haar. Marileen raakt hoe langer hoe meer in paniek.

En het wordt nog erger als ze voor haar opeens twee stadswachten uit een zijstraat ziet komen. Ook zij zien dat er iemand in de speeltuin is. Ze praten even met elkaar en versnellen dan hun pas. Als ze straks zien dat Dennis... dit mag niet!
Marileen denkt razendsnel na. Ze moet Dennis waarschuwen. Het liefst zo snel mogelijk!

Zonder iets te zeggen, holt Marileen de twee stadswachten voorbij.
'Marileen! Wacht!' roept Karin achter haar. 'Niet zo hard!'
Ik moet wél hard, denkt Marileen verbeten.
Dennis lijkt niets te merken. Hij staat nog steeds met zijn rug naar de straat toe. Al snel merkt Marileen dat Kyra het helemaal niet leuk vindt om zo hard te lopen. Het hondje mág ook helemaal nog niet zo hard lopen... Heel even aarzelt Marileen, dan laat ze de riem los.
'Pak 'm!' roept ze achterom naar Karin.
Hijgend komt Marileen bij het speeltuintje aan. Nu pas draait Dennis zich om. 'Wat kom jij...?'
Marileen gebaart dat hij stil moet zijn. 'Twee stadswachten', hijgt ze, 'ze hebben je gezien.'
Angstig kijkt Dennis haar aan. 'Wat nu?'
'Heb je al een touw doorgesneden?' vraagt Marileen.
'Nee, dat stomme mes wilde niet open.'
'Mooi. Loop rustig naar de andere uitgang. Ik regel het verder wel.'
Dennis wil nog meer zeggen, maar draait zich om als hij Karin aan ziet komen.
Marileen haalt opgelucht adem: Karin is samen met Kyra.
'Jij bent ook een mooie', zegt Karin verontwaardigd tegen Marileen, 'je laat zomaar de riem los.'
'Sorry', antwoordt Marileen, 'maar ik kon niet anders.'
'Kon niet anders?' zegt Karin nog steeds boos. 'Kyra had wel weg kunnen lopen!'
'Ja, sorry', zegt Marileen weer, 'ik had beter op moeten letten,

maar... nou ja, ik zag mijn broer hier staan en Dennis is vreselijk bang voor honden. Ik dacht: ik waarschuw hem even. Voordat hij weer boos op mij wordt omdat ik met een hond aan kom wandelen. Snap je?'

'Jouw broer is bang voor honden?' roept Karin verbaasd uit.

'Ja, stom hè?' lacht Marileen.

'Nogal ja. Maar ook makkelijk. Als hij weer een keer vervelend tegen je doet, kun je hem nu tenminste terugpesten.'

'Dat heb ik daarnet ook tegen hem gezegd', zegt Marileen, 'en daarom ging hij meteen weg.'

Intussen zijn ook de twee stadswachten bij het speeltuintje aangekomen. Ze bekijken nauwkeurig de speeltoestellen. Als laatste komen ze bij de schommels.

Ook hier kijken ze goed na of alles in orde is.

'Ken jij die jongeman die hier net was?' vraagt de grootste aan Marileen.

'Een beetje', antwoordt Marileen.

'En jij?' vraagt de stadswacht nu aan Karin.

'Ook een beetje', antwoordt Karin. 'En u?'

'Eh, nee.' Verbaasd kijken de twee mannen elkaar aan. 'Eh, bedankt voor de informatie. Dag dames.'

'Dag heren', groeten Marileen en Karin allebei tegelijk terug.

'Dames', proest Karin, 'hij zei dámes tegen ons.'

'Ja', giechelt Marileen, 'en Dennis noemde hij een jongeman.'

'Een jongeman die bang is voor honden', zegt Karin. 'Ik ben blij dat jij dat niet bent: bang voor honden. Zullen we nu gaan overgooien met het balletje?'

'Ja', antwoordt Marileen, 'dan zal ik eerst even de hekken dichtdoen. Anders loopt Kyra misschien weg.'

'Je bent een rare', zegt Karin hoofdschuddend.

'Weet ik', zegt Marileen. 'Ik ben zelfs een rare dame!' roept ze er vrolijk achteraan.

21 Elf jaar

's Avonds op haar kamer beleeft Marileen opnieuw alle belevenissen. Het wandelen met Kyra, het zien van Dennis in de speeltuin, de twee stadswachten, het giechelen met Karin...
Vooral als ze terugdenkt aan het moment dat ze Dennis met een mes bij de schommel zag staan, voelt ze zich weer raar worden vanbinnen. Een heel ander gevoel had ze, toen ze daarna haar broer wegstuurde uit de speeltuin. Dat leek een beetje op een trots gevoel maar toch ook weer anders.
Opeens weet Marileen het: ze voelde zich vanmiddag opeens ouder. Dat komt natuurlijk doordat ze nu al een week elf jaar is! Elk jaar dat je ouder wordt, ga je je ook ouder voelen. Logisch.
Tevreden over deze oplossing pakt Marileen haar spelletjescomputer. Misschien kan ze opeens ook veel beter computeren nu ze een jaar ouder is. O nee! Dat kan natuurlijk niet! Ze was al elf toen ze de spelletjescomputer kreeg!

Opeens wordt Marileen opgeschrikt door een klop op de deur.
'Binnen?' roept ze verbaasd.
Langzaam gaat de deur open en verschijnt Dennis in de deuropening. 'Mag ik binnenkomen?' vraagt hij.
'Natuurlijk, ga zitten.' Marileen legt de spelletjescomputer opzij en kijkt haar broer vragend aan.
'Leuk ding.' Dennis wijst naar de spelletjescomputer. 'Mag ik eens?'
'Weet je hoe die werkt?'
'Natuurlijk... Of nee. Eigenlijk niet. Wil je mij het spel uitleggen?'
'Ja hoor.'
Marileen komt meteen ijverig overeind. Zo duidelijk mogelijk legt

ze Dennis uit waar alle knopjes voor dienen. Dennis knikt.
Hij kan het meteen al heel goed, ziet Marileen.
'Eh, ik wil je nog iets vertellen', zegt Dennis zonder van het spel op te kijken. 'Ik wil je zeggen dat het mij spijt dat ik je vals beschuldigd heb. Sinds een paar dagen weet ik dat Jeroen mij verraden heeft. Dat hoorde ik vlak voor jouw verjaardag... En ik wilde je ook bedanken voor vanmiddag. Dat was hartstikke stom van mij. Ik weet zelf niet waarom ik zo stom deed. Ik denk omdat ik kwaad was. Op Jeroen en ook op anderen... maar ik was vooral kwaad op mijzelf. Als jij er niet geweest was vanmiddag, dan, dan... Wat heb je eigenlijk aan die twee stadswachten verteld?' Nu pas kijkt Dennis op van het spel. 'En wat heb je aan Karin verteld?'
'O, een heleboel', lacht Marileen. 'Aan Karin heb ik verteld dat je bang bent voor honden. Dat vond ze geloof ik nogal kinderachtig. Maar ik wist ook niets beters te verzinnen. En aan die twee stadswachten... Nou ja, niemand heeft iets gemerkt. Maarre, over het verraden. Ik heb je toch al een keer gezegd dat zusjes hun broer niet verraden?'
'Nee.' Dennis kijkt verbaasd op, 'tenminste, niet zo precies. Maar het spijt me echt. En ik beloof dat ik je voortaan altijd zal geloven.'
'Beloofd?'
'Beloofd.'
'Mooi', zegt Marileen, 'dan wil ik nu wel een wedstrijdje met jou doen op de computer.'

Als Dennis weer terug is naar zijn eigen kamer, voelt Marileen zich weer een beetje meer elf jaar.
Ze heeft gewonnen van Dennis, haar grote broer.
'Knap hè?' zegt ze tegen Bubbel.
Ze denkt nog even terug aan het bijzondere gesprek met Dennis...
'En praatbriefjes schrijven doe ik ook niet meer nu ik elf jaar ben', zegt ze tegen Bubbel. 'Ik kan voortaan alles wel zeggen. Net zoals tegen jou. Welterusten Bubbel.'